図解 わか ...年版

個人事業の
始め方

税理士
宇田川敏正 監修

新星出版社

個人事業スタート前の準備と手続き

やりたい仕事が決まったら、まず何をすればいいのか？
個人事業をスタートする前にやるべきことを時系列で追ってみましょう。

構　想

- ☐ **リサーチする** ⇒ 28 ページ
- ☐ **事業のコンセプトを固める** ⇒ 68 ページ
- ☐ **屋号をつける** ⇒ 70 ページ
- ☐ **集客方法を考える** ⇒ 66 ページ
- ☐ **事業の価値を高める方法** ⇒ 76 ページ
- ☐ **価格を決める** ⇒ 106 ページ

●飲食店、小売店。教室、ネットショップの場合

- ☐ **メニューを考える** ⇒ 88 ページ
- ☐ **QSCH について考える** ⇒ 90 ページ
- ☐ **仕入先を見つける** ⇒ 108 ページ

計　画

- ☐ **事業計画書を作成する** ⇒ 44 ページ
- ☐ **利益計画書を作成する** ⇒ 48 ページ
- ☐ **開業の資金を準備する** ⇒ 52 ページ
- ☐ **資金計画を立てる** ⇒ 54・56 ページ

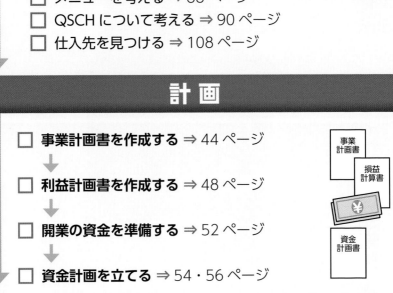

事業
計画書

損益
計算書

¥

資金
計画書

届出・申請

- ☐ 「個人事業の開業・廃業等届出書」⇒ 116 ページ
- ☐ 「事業開始等申告書」⇒ 118 ページ
- ☐ 「所得税の青色申告承認申請書」⇒ 122 ページ

↓

- ☐ 許認可を受ける ⇒ 126 ページ

許可書

↓

- ☐ 銀行口座を開設する ⇒ 58 ページ

↓

- ☐ 社会保険の手続きをする ⇒ **36 ページ**

↓

- ☐ インボイス制度の適用を受ける ⇒ **142 ページ**

開業前の具体的な準備

- ☐ **名刺やショップカードを作る** ⇒ 70 ページ
- ☐ **ホームページを作成する** ⇒ 72 ページ
- ☐ **事務所や店舗を借りる** ⇒ 98・100・102・104 ページ
- ☐ **広告・宣伝活動を開始する** ⇒ 74・84 ページ
- ●フリーランスの場合
  - ☐ ポートフォリオを作成する ⇒ 78 ページ
  - ☐ クラウドソーシングで仕事を見つける ⇒ 80 ページ
- ●飲食店、小売店、教室、ネットショップの場合
  - ☐ 看板や POP 広告を作成する ⇒ 86 ページ
  - ☐ ネットショップを立ち上げる ⇒ 92・94 ページ

事業スタート

副業スタート前の準備と手続き

副業とは、会社員などの本業をもつ人が、本業以外から収入を得ている仕事のことです。副業の準備と手続きの流れは次のとおりです。

[代表的な副業]

- **アルバイト** ……………………… 就業後や休みの日にアルバイトをする
- **フリーランス** ………………… ライターや家事代行、配達などで稼ぐ
- **ネットショップ** ……………… メルカリや BASE などで商品を売る
- **広告収入** ……………………… SNS や YouTube などで収入を得る
- **シェアリングビジネス** …… 家や車など、遊休資産を活用して稼ぐ

構 想

- □ **リサーチする** ⇒ 28 ページ
- □ **事業のコンセプトを固める** ⇒ 68 ページ
- □ **屋号をつける** ⇒ 70 ページ
- □ **集客方法を考える** ⇒ 66 ページ
- □ **事業の価値を高める方法** ⇒ 76 ページ
- □ **価格を決める** ⇒ 106 ページ
- □ **仕入先を見つける** ⇒ 108 ページ
- □ **SNS や YouTube などで収入を得る方法** ⇒ 96 ページ
- □ **マッチングサイトでスキルを売る方法** ⇒ 20・82 ページ
- □ **クラウドソーシングで仕事を見つける方法** ⇒ 80 ページ

計 画

- ☐ **会社の就業規則を確認する** ⇒ 23・38 ページ

- ☐ **事業計画書を作成する** ⇒ 44 ページ

- ☐ **利益計画書を作成する** ⇒ 48 ページ

届出・申請

- ☐ **「個人事業の開業・廃業等届出書」** ⇒ 116 ページ
- ☐ **「事業開始等申告書」** ⇒ 118 ページ
- ☐ **「所得税の青色申告承認申請書」** ⇒ 122 ページ

- ☐ **許認可を受ける** ⇒ 126 ページ

- ☐ **銀行口座を開設する** ⇒ 58 ページ

開業前の具体的な準備

- ☐ **名刺やショップカードを作る** ⇒ 70 ページ
- ☐ **ホームページを作成する** ⇒ 72 ページ

- ☐ **SNS や YouTube で宣伝する** ⇒ 74 ページ
- ☐ **ポートフォリオを作成する** ⇒ 78 ページ
- ☐ **ネットショップを立ち上げる** ⇒ 92・94 ページ

事業スタート

日々の経理と
確定申告の手続きと流れ

個人事業主も副業をしている会社員も、事業を行って収入を得たら
確定申告という手続きをして自分で税金を納めなければなりません。

［先に提出しておく書類］

● 青色申告を希望する場合

☐ 「所得税の青色申告承認申請書」を提出する
⇒ 122・216 ページ

● 家族に給与を支払う場合

☐ 「青色事業専従者給与に関する届出書」を提出する
⇒ 124 ページ

【毎日・毎月】

☐ 日々の取引を管理する ⇒ 162 ページ
☐ 領収書、請求書、発注書を作成・管理する ⇒ 168 ページ
☐ 月ごとの売上を管理する ⇒ 172 ページ
☐ 帳簿をつける ⇒ 174 ～ 185・196 ページ

◎従業員に給与や報酬を支払う ⇒ 186 ～ 189 ページ

【12月】

◎従業員の税金を再計算する ⇒ 190 ページ

【決算日（12月31日）を迎えたら】

- ☐ 棚卸しをして在庫品を確認する ⇒ 144・220 ページ
- ☐ 当期分の収益と費用を計算する ⇒ 221 ページ
- ☐ 減価償却費を必要経費にする ⇒ 148・184・222 ページ
- ☐ 按分計算をして生活費と必要経費を分ける ⇒ 224 ページ

【翌年の1月】

- ◎従業員の給与支払報告書と源泉徴収票を作成する ⇒193ページ
- ☐ フリーランスは支払調書などをもとに、源泉徴収された金額を確認する ⇒ 208 ページ
- ☐ 医療費控除や生命保険料控除などの控除証明書をそろえる ⇒ 234 ページ

【1月末頃～】

- ☐ 〈確定申告書〉を作成する ⇒ 202 ～ 205・232 ～ 241 ページ
- ☐ （青色申告を行う人は）〈青色申告決算書〉を作成する ⇒ 216・226 ～ 231 ページ

【2月16日～3月15日】

- ☐ 「確定申告書」と「青色申告決算書」を提出し、所得税を納める⇒ 232 ～ 241 ページ

税務署　確定申告書　青色申告決算書

確定申告

「フリーランス新法」がスタート

2024年11月、フリーランスの働く環境を整備する新しい法律が施行されます。企業から不当な扱いを受けずに、安心して働けるように、フリーランスを守る目的と法律の概要を知っておきましょう。

●フリーランスを守ってくれる法律●

仕事を請け負う受注側は、発注側（クライアント）よりも弱い立場になりがちです。とくにフリーランスは個人ですから、法律をはじめとするさまざまな情報にくわしくない人も多いため、権利を主張して自分の立場を守ることが苦手な人が少なくありません。そのため、「報酬の額が最初の提示と違っている」「依頼された業務内容が曖昧だった」「報酬を減らされた」「（相場と比べて）著しく低い報酬の額を決められた」「支払いが3か月も4か月も後になっている」「最初の話と違う仕様になり、その修正に対応したのに増額がなかった」といったトラブルが絶えない状況でした。

このようなことから、①フリーランスと発注事業者の間の取引の適正化と、②フリーランスの就業関係の整備を図ることを目的に、弱い立場であるフリーランスを守るためにできたのがフリーランス新法です。

●新しく設けられたルール●

フリーランス新法（正式名称は「特定受託事業者に係る取引の適正化等に関する法律」）によって、新しく設けられたルールは右ページの7点です（従業員の有無など、発注事業者が満たす条件によってルールの内容が異なります）。

発注事業者がこれらのルールに違反すると、指導や立入検査、勧告などを受ける場合があり、50万円以下の罰金が求められる可能性もあります。

ただし、受注側のフリーランスが従業員を使用している場合などは、この法律の対象外になります。

1 書面で取引条件を明示

「委託する業務の内容」「報酬額」「支払期日」などの取引条件を請負契約書などの書面などで明らかにする（112ページ）

2 報酬支払期日の設定・期日の支払い

納品日から60日以内の支払期日を設定し、期日内に報酬を支払う

3 禁止行為

フリーランスに責任がないにもかかわらず、「納品物を受け取らない」「返品する」「報酬額を後で減額する」などはNG

4 募集情報の的確表示

ホームページやSNSなどで募集をする際、虚偽や誤解を与える表示をしてはならない。また、募集の内容は最新の正確な情報を表示する

5 出産育児介護などと業務の両立に配慮

継続的な業務委託（一定の期間以上行う業務委託）について、フリーランスが出産や育児、介護などと業務を両立できるように配慮をする

6 ハラスメント対策

ハラスメント行為に関する相談に対応するための体制を整える。たとえば、「従業員に対してハラスメント研修を行う」「ハラスメントの相談担当者を用意する」など

7 中途解除などの事前予告

継続的な業務委託を途中で解除する場合や更新しない場合は、原則30日前までに予告する

不当な扱いを受けたらここに相談！

フリーランス・トラブル110番は、フリーランスと発注事業者との取引上のトラブルについて、弁護士にワンストップで相談できる窓口です。フリーランスは、無料で法に関する相談をしてアドバイスを受け、必要に応じて所管省庁への法違反の申告についての案内を受けたりすることもできます。

■フリーランス・トラブル110番　0120-532-110

電話の他に、メール、ビデオ通話、対面での相談も可能

インボイス制度の基礎知識

インボイス制度とは、消費税の「仕入税額控除」を受けるためのしくみのことです。インボイスを発行するには、「適格請求書発行事業者」になり、消費税を納めることが必要です。

●売り手が買い手に正確な税率や消費税額を伝える●

インボイス制度とは、簡単にいえば、売り手が買い手に対して、適用した消費税率（10％または8％）や消費税額などを伝えるために、これらが明記された請求書や領収書などを発行・保存しておくという制度です。この請求書などを「適格請求書（インボイス）」（140ページ）といい、買い手である仕入側は、これを保存しておくことで消費税の仕入税額控除の適用を受けられます。

事業者には、課税事業者と免税事業者があります（142ページ）。課税事業者は消費税分を納税しなければなりませんが、実際の納税額は売上の際に自身が受け取った消費税額から、仕入や経費での購入などの際に取引相手に支払った消費税額を差し引いて求めることになります。

この仕入などにかかった消費税分を差し引くことを「仕入税額控除」といいます。

●まず適格請求書発行事業者の登録申請を行う●

インボイス制度の適用を受ける、つまり仕入税額控除を受けるためには、インボイス発行事業者の登録手続きをして、自身が「適格請求書発行事業者」になっていなければなりません。

事業をスタートする前に、管轄地の税務署に「適格請求書発行事業者の登録申請書」（142ページ）を提出して、登録申請を済ませておきましょう。

適格請求書発行事業者になると、同時に課税事業者になります。

適格請求書発行事業者の登録は、スマートフォンからでも e-Tax で申請できます。ただし、事前にマイナンバーカードの取得が必要）になります。

インボイス制度の概要

インボイスの登録申請を済ませると…

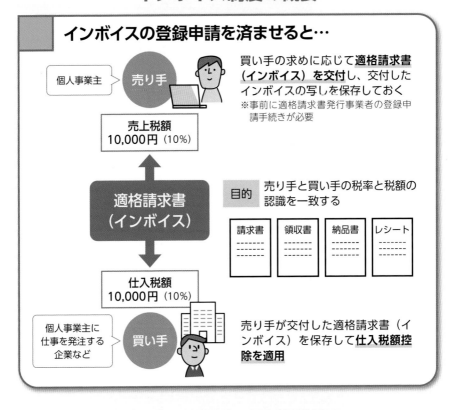

個人事業主 ／ 売り手

売上税額
10,000円（10%）

適格請求書
（インボイス）

仕入税額
10,000円（10%）

個人事業主に
仕事を発注する
企業など ／ 買い手

買い手の求めに応じて**適格請求書
（インボイス）を交付**し、交付した
インボイスの写しを保存しておく

※事前に適格請求書発行事業者の登録申
請手続きが必要

目的　売り手と買い手の税率と税額の
認識を一致する

請求書　領収書　納品書　レシート

売り手が交付した適格請求書（イ
ンボイス）を保存して**仕入税額控
除を適用**

インボイス制度の登録手続き

「適格請求書発行事業者の登録申請書」（142ページ）を管轄地の税務署に提出

適格請求書発行事業者の
登録申請書

登録を受けると……

- 自動的に消費税の課税事業者になる
- 適格請求書に記載する登録番号（Tから始まる
  13桁の数字）を入手
- 「国税庁適格請求書発行事業者公表サイト」に
  登録番号や氏名の情報が公開

インボイス制度と個人事業主

個人事業主が適格請求書発行事業者の登録を受けるかどうかはあくまでも任意ですが、登録にあたっては、取引先との関係や、事業の形態に合わせて検討しましょう。

●求められたら適格請求書を交付しなければならない●

適格請求書に記載されるのは、「登録番号」「適用税率」「税率ごとに区分した消費税額等」です（140ページ）。

売り手である適格請求書発行事業者は、買い手である取引相手（課税事業者）から求められたときに、適格請求書を交付し、交付した適格請求書の写しを保存しておかなければなりません。

また、買い手は仕入税額控除の適用を受けるために、原則として、取引相手（売り手）から交付を受けた適格請求書の保存が必要となります。

●適格請求書発行事業者にならないとどうなる？●

事業を開始したばかりの個人事業主は、原則として最初の2年は消費税を納める必要はありませんが、インボイス制度のもとでは、課税事業者になって消費税を納めることを選ぶケースもあります。

なぜなら、自身が免税事業者だと、買い手側である取引先が仕入税額控除を受けられなくなり、相手が負担する消費税納付金額が増える（＝支払った消費税分、相手側が損をする）ことになるからです。

その結果、適格請求書発行事業者になっていない個人事業主は「取引先が支払った消費税分の損をすることになるため、仕事が発注されなくなる」「会社の経費として認められなくなるため、お店を利用されなくなる」といった立場に置かれる可能性があります。

適格請求書発行事業者ではないと、取引先はどうなる？

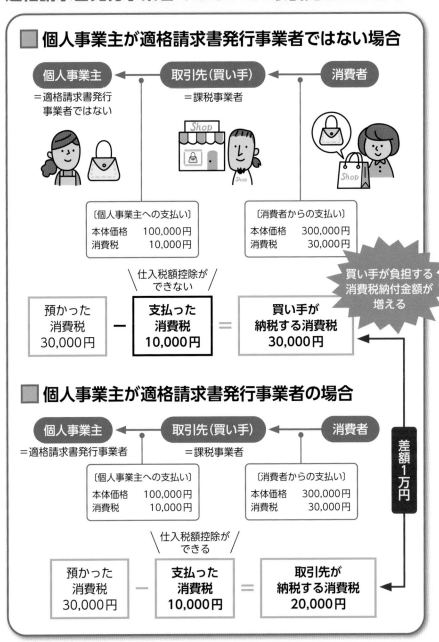

■ 個人事業主が適格請求書発行事業者ではない場合

個人事業主 ← 取引先（買い手） ← 消費者
＝適格請求書発行事業者ではない　＝課税事業者

〔個人事業主への支払い〕
本体価格　100,000円
消費税　　 10,000円

〔消費者からの支払い〕
本体価格　300,000円
消費税　　 30,000円

買い手が負担する消費税納付金額が増える

仕入税額控除ができない

| 預かった消費税 30,000円 | − | 支払った消費税 10,000円 | = | 買い手が納税する消費税 30,000円 |

■ 個人事業主が適格請求書発行事業者の場合

個人事業主 ← 取引先（買い手） ← 消費者
＝適格請求書発行事業者　＝課税事業者

〔個人事業主への支払い〕
本体価格　100,000円
消費税　　 10,000円

〔消費者からの支払い〕
本体価格　300,000円
消費税　　 30,000円

差額1万円

仕入税額控除ができる

| 預かった消費税 30,000円 | − | 支払った消費税 10,000円 | = | 取引先が納税する消費税 20,000円 |

※期間限定の負担軽減措置
2026年9月末まで、消費税の納付税額を売上税額の2割として計算できる「2割特例」については242ページ参照。
2029年9月末まで、課税仕入1万円未満はインボイス保存不要で仕入税額控除ができる「少額特例」は141ページ参照。

オンライン取引の証憑類の保存

電子メールに添付された請求書・領収書や、オンライン取引の領収書などは、紙に印刷して保存するのではなく、デジタルデータのまま保存しなければなりません。

●デジタルデータでやりとりした請求書や領収書●

オンライン取引の証憑類（請求書や領収書など）はデジタルデータとして保存しなければならなりません。

たとえば、Amazon や楽天での商品の購入、オンラインバンキングを利用した振り込み、クラウドサービスの契約などでは、オンライン上で自ら領収書をダウンロードすることが必要になります。また、メールに添付された請求書などの証憑類は、紙に印刷して保存することはできません。

オンライン取引で商品と一緒に送られてきた紙の領収書も、証憑として認められません。必ずダウンロードしてデジタルデータとして保存しましょう。

現金でモノを購入したときなどにもらう紙の領収書や、オンライン取引以外の取引で郵送されてきた紙の請求書などは、スキャナーなどで読み込んでデジタルデータとして保存できます。デジタルデータとして保存すれば、紙の領収書や請求書などは残しておく必要がありません。

●証憑類の保存のしかた●

証憑類をデジタルデータとして保存する場合は、保存したデータを表示・印刷できる機器を設置し、ファイルを整理しておきます。ファイル形式は、PDFでも JPEG でも OK です。データを検索しやすいように、「取引年月日」「取引金額」「取引先名」をふくめたファイル名をつけておきましょう。

なお、紙の領収書をスキャナーで読み込んで保存する場合は、修正や削除の履歴が残るクラウドドライブなどでの保存・管理が必要になります。

オンライン取引の証憑類は必ずデジタルデータで保存

オンライン取引の証憑類

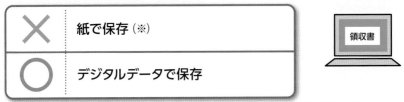

✕	紙で保存（※）
◯	デジタルデータで保存

※ただし、準備体制が整わないなど相当の理由がある場合は、一部紙の保存が認められる。

オンライン取引以外の証憑類

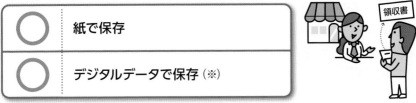

◯	紙で保存
◯	デジタルデータで保存（※）

※制度対応している認証を受けたソフトウエアのみ。

デジタルデータで保存したファイル名のつけ方

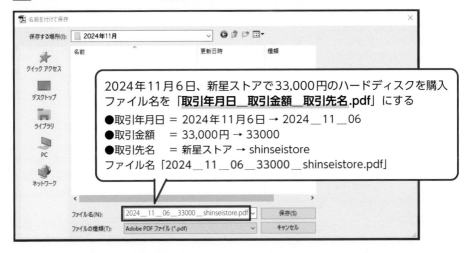

2024年11月6日、新星ストアで33,000円のハードディスクを購入
ファイル名を「**取引年月日＿取引金額＿取引先名.pdf**」にする
- ●取引年月日 ＝ 2024年11月6日 → 2024＿11＿06
- ●取引金額　 ＝ 33,000円 → 33000
- ●取引先名　 ＝ 新星ストア → shinseistore
ファイル名「2024＿11＿06＿33000＿shinseistore.pdf」

Web にかかわる話題の職種

クラウドソーシング（80 ページ）が普及する中で、最近特に需要が高まっているのが、Web にかかわる仕事です。これらの仕事はフリーランスや副業との相性が良く、今後ますます活躍の場が増えると期待されています。

Web にかかわる職業は、職種や業界によってさまざまです。その収入や需要も、経験やスキル、案件数などによって大きく変わります。

時間や場所にとらわれずに自由な働き方ができるクラウドソーシングでの働き方が一般化した中で、フリーランスや副業として需要が高まっているのが、次のような職種です。

どの仕事もスキルと専門知識が求められるので、これから始める人はスクールや講座などに通って勉強するのが就業の近道。実務経験を積んで発注者の信頼を得られれば、フリーランスでも一定以上の収入が期待できます。

●**プログラマー**
システム開発の設計書に基づき、プログラミング言語などを使って、Web サイトやアプリなどを開発する

●**コーダー**
Web デザイナーが作成したデザインをもとに、HTML や CSS といった言語を用いてWeb サイトをソフトウェア上につくり上げる

● **WordPress エンジニア**
初級者でも扱いやすい Web サイト作成ソフト「WordPress」を用いて、企業サイトの新規制作、管理や更新、機能の追加作業などを請け負う

●**アプリケーションエンジニア**
アプリ開発を専門的に行う。ブラウザで動作する Web アプリ、ビジネス現場で使われる業務系アプリ、モバイルで使うスマホアプリなどに分かれている

●**ゲームエンジニア**
家庭用ゲーム機、スマホゲーム、SNS 上でプレイするソーシャルゲームなどのゲームアプリ開発にかかわるエンジニア

● **AI エンジニア**
AI（人工知能）を扱うエンジニア。発展途上の分野だが、需要の高まりとともにこれからあらゆる分野への拡大が予想される

● **Web デザイナー**
Web ページをデザイン・制作する。雑誌や書籍のページもののデータをつくるデザイナーを「DTP デザイナー」という

● **Web ライター**
企業の Web サイトなどで活躍するライター。クラウドソーシングの普及によって副業として人気が集まっている

はじめに

　一億総活躍社会の実現に向けた「働き方改革」への取り組みは、人々の仕事に対する意識を大きく変化させました。人々は今、多様な働き方のなかから、自分に一番ふさわしいスタイルを選べるようになり、その結果、個人事業は以前とは比べものにならないほど身近なものになりました。

　また、世界中で蔓延した新型コロナウイルスも、人々の生活スタイルに多大な影響を与えました。なかでも大きな変化は、テレワークの拡大による、仕事の生産性の向上でしょう。働き方以外にも、これまでには存在しなかった新しいビジネスチャンスも生み出しました。

　そのような時代だからこそ、個人事業の形態も変化してきました。現在の個人事業の独立・開業は、会社を辞めて独立するケースだけではありません。会社で働きながら副業として事業を始める人、いくつかの仕事を掛け持ちしてダブルワークのような形で働く人、趣味や特技の世界を広げて、そこから収入を得ようとする人……など、さまざまな個人事業の形態が増えています。

　本書は、そんな変革に時代のなかで、自分に合った働き方を求めている方々に向けて、独立・開業のノウハウを提供するものです。

　独立・開業の動機や目標は、本当に人それぞれであり、成功のための道のりは一つではないでしょう。それでも共通項はあります。独立・開業前の準備から、法律的な手続き、経理のしかた、確定申告といった事務的な事柄だけでなく、事業コンセプトのかため方や集客のポイントのような事業を成功させるコツまでを、多くの人に役立つ情報を吟味・厳選し、図解を多用して、できるだけわかりやすく紹介しています。

　本書があなたの役に立ち、事業成功のヒントを得るきっかけになれば、監修者としてこれ以上の喜びはありません。

宇田川敏正

目次

◆ 第 1 章 ◆ 開業の心がまえ

◆ 第 2 章 ◆ 開業の準備

◆ 第3章 ◆ 事業成功のカギ

◆ 第4章 ◆ 開業に必要な手続き

◆ 第5章 ◆ 開業後のお金の管理

◆ 第6章 ◆ 決算と確定申告

デザイン：田中律子
イラスト：Bikke
ＤＴＰ：田中由美
編集協力：有限会社 クラップス
　　　　　村瀬航太
　　　　　小林英史（編集工房水夢）

第1章

◆

開業の心がまえ

個人事業主とは
どんな人のこと？

◆ 個人事業主は税務上の呼び方

　個人で事業を営んでいる人を「個人事業主」といいます。**個人事業主とは、株式会社のような「法人※」と区別したときの税務上の呼び方**で、個人事業主として開業届を税務署に提出している人です。

　個人事業主といってもさまざまな人がいます。店舗をかまえて飲食業や小売業を営む人もいれば、インターネットを使って商品を販売する人や、教室を開いて生徒に特定の技術を教えている人もいます。また、独立した立場で特定の仕事を請け負っているフリーランスや、メルカリやBASE（ベイス）で収入を得ている人、YouTubeで広告収入を得ている人、さらには「Uber Eats（ウーバーイーツ）」の配達パートナーも個人事業主です。

◆ 自分に合った働き方を選べる時代

　個人事業を始めようとする人も、それぞれが置かれた状況や目標は異なります。とりあえず個人事業主としてスタートし、事業が軌道に乗ったら法人（会社）を設立しようと考えている人もいるでしょうし、特定の企業と雇用関係を結ばずに自由な立場で仕事をしたいと考える人もいます。

　最近では、会社員を続けながら、すき間時間を使って副業でこづかい程度のお金を稼いだり、本業だけでは足りない収入を副業で補いたいと考えている人も少なくありません。副業で小さな事業を始め、いずれ本業に発展させて独立の機会をうかがうような人もいるでしょう。

　現在、社会ではさまざまな働き方が認められるようになり、多くの人が自分にふさわしい働き方を選べるようになりました。開業や納税の法律的な手続きや成功のためのノウハウは、事業の種類によって多少異なりますが、**スキルや経験、資格などを活かして働き、個人が主体になって仕事をする**という点はどの職業も同じです。

Word **法人**：「法律によって人と同じ権利や義務を認められた組織」、すなわち「会社」のことです。
法人を設立するには、定款を作成し、登記申請をするなどの手続きが必要になります。

◆「個人事業主」と「フリーランス」の違い

　個人事業主はさまざまな呼び方で呼ばれています。たとえば「フリーランス」。こちらは**"会社に属さずに独立した立場で、企業などから仕事を請け負っている人"**という働き方を表す言葉です。具体的には、個人がもつスキルや資格などを活かして、時間と場所を選ばずに仕事ができるプログラマー、デザイナー、カメラマン、イラストレーター、ライター、コンサルタントなどの職業です。企業に属さないインストラクターや講師もフリーランスの一つです。

　法人を設立していないフリーランスは、当然ながら個人事業主ということになりますが、飲食業や小売業などを営む個人事業主は、一般的に"企業などから仕事を請け負う"ことはなく、働く時間と場所も決められていることが多いので、フリーランスと呼ばれることはありません。

　個人事業主を「自営業者」と呼ぶこともありますが、自営業者のなかには法人を設立している人も含まれるので、個人事業主＝自営業者ではありません。一般的に自営業者という言葉は、**法人であるか個人であるかにこだわらない場面で、"自分で事業を営んでいる人"という意味で用いられる**ことが多いようです。

個人事業主の言葉の定義

法人（会社）　　　**個人事業主**

法人・個人を問わず使われる
自営業者

フリーランス
個人事業主の一つ

ライフプランに合わせて
仕事のしかたを決める

◆ やりたい仕事がやりたいようにできる

「自分がやりたい仕事をやりたいようにやる」——個人事業の魅力をひと言で表すとしたら、それに尽きるのではないかと思います。

会社という組織に所属していれば、仕事の成果や実績は会社全体のものになりますが、個人事業ならば、仕事の成果や実績はすべて自分自身に向けられます。自分のアイデアがモノやサービスになって、お客様やクライアントに喜んでもらえるというのはうれしいものです。個人事業では、事業の物事の決断を下す人が自分しかいないからです。

また、仕事の評価が自分の収入に直接反映されることも、個人事業の魅力です。会社員は、原則として毎月決められた給与を会社から受け取ります。仕事で大きな成果を上げたとしても、一部がボーナスとして返ってくるだけです。一方、個人事業主になった場合は、**自分の努力次第でその見返りは無限大に増えていきます**。その反面、何十時間、働いても少額にしかならないケースもあります。

◆ ライフプランに合わせて仕事の時間を調整

時間を思いどおりに使えるというのも個人事業のメリットの一つです。仕事が一番重要だという人もいるでしょうが、仕事一辺倒ではなく、趣味や家族のために多くの時間を使いたい人もいるでしょう。

事業を軌道に乗せるには、ある程度の継続的な"稼ぎ"が必要ですが、**自分のライフプランに合わせて仕事の時間を調整する**のは、会社勤めではなかなかできることではありません。

また、"人に使われる"という

Word 報酬：一般的に、雇用契約を交わしている勤め先から受け取る対価を「給与」、支払う側と受け取る側の間に雇用契約がない場合は「報酬」と呼びます。

ストレスや、ノルマを求められる受け身的なプレッシャーも少なくなるので、どんなに仕事が忙しくなっても、やりがいをもって、目的や目標を失わずに仕事に邁進することができます。

◆ 趣味を実益にして稼ぐ

現在は、**生活の中の空き時間を利用して、短時間で効率よく稼げる**仕事が数多くあります。たとえば、ヤフオク！やメルカリなどでモノを売る、「Uber Eats（ウーバーイーツ）」（81ページ）の配達パートナーで報酬[※]を得るといった仕事です。このような仕事は、時間にしばられることがなく自分のペースで働けるので、本業をもちながら副業で収入を得たい人にうってつけです。

また、SNSやホームページ、YouTubeに自作コンテンツを公開することで読者や視聴者を集め、そこに広告を掲載して収入を得る、**趣味と実益をかねた仕事のしかた**もあります。安定した収入に結びつけるには、アイデアはもちろん、手間や時間もかかりますが、こういった仕事にはさまざまな可能性が秘められています。

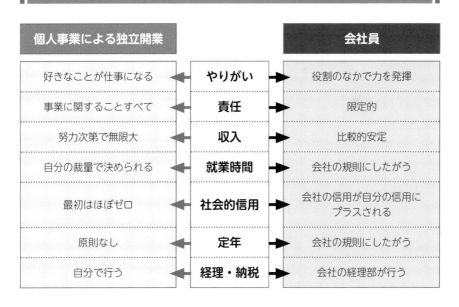

個人事業と会社員の違い

個人事業による独立開業		会社員
好きなことが仕事になる	やりがい	役割のなかで力を発揮
事業に関することすべて	責任	限定的
努力次第で無限大	収入	比較的安定
自分の裁量で決められる	就業時間	会社の規則にしたがう
最初はほぼゼロ	社会的信用	会社の信用が自分の信用にプラスされる
原則なし	定年	会社の規則にしたがう
自分で行う	経理・納税	会社の経理部が行う

個人事業と法人は
何がどのように違うか？

◆ 誰でもすぐに始められる個人事業

　独立開業には、2つの道があります。一つは法人（会社）としての起業、もう一つは本書のテーマでもある個人事業としての開業です。個人事業は、法人と比べて手続きが簡単なので、職種にかかわらず、事業を始めやすいというメリットがあります。

　法人の場合は、会社を設立するための書面である「定款※」という書類を作成し、登記申請を行うなどの手続きが必要となり、一定の費用や手間がかかります。

　一方、**個人事業の場合は、簡単な届出を提出するだけですぐに事業を始めることができます**（第4章参照）。

◆ 理想に向かう明確なビジョンを打ち立てる

　もちろん費用と手間のかかる法人をはじめから設立して勝負するのも悪い考えではありません。しかし、未知の事業に挑むときは、慎重さが大事です。**個人事業として小さな事業からスタート**し、少しずつ実績を積んで、事業を軌道に乗せてから法人にするという展開のほうがおすすめです。

　さらにリスクを回避するのであれば、会社勤めを続けながら事業の筋道を立てていくという方法もあります。働き方改革が進んでいる現在、会社の仕事に影響を与えない範囲内であれば、副業を認めている会社も多いので、正々堂々と副業にチャレンジすることができます。

　ともあれ大切なのは、成功に至る筋道をイメージして、自分に合った方法を見つけること。事業を始める覚悟と、理想に向かう明確なビジョンがなければ、成功をつかむことはできません。

軌道に乗るまでは
個人でいこう

Word **定款**：会社を運営するための基本的な規則を定めた書面。会社名や事業内容、会社の所在地などをていねいに記しています。会社を設立するには、これを作成しなければなりません。

個人事業と法人の違い

個人事業		法人
原則として税務署への開業の届出のみなので比較的簡単	設立の手続き	定款の作成や登記申請が必要なので、手間と費用がかかる
責任をとるのが個人であるため、信用度が低い	社会的信用	お客様から信用を得やすい。銀行などからお金を借りやすい
比較的簡単な記帳で済むので自分でもできる	経 理 業	個人事業よりも複雑なので、専門的な知識が必要になる
節税対策が少ないので税金を抑えにくい	税 金	いろいろな節税対策があるので税金が抑えられる
個人事業主は、原則として国民健康保険と国民年金に加入	社 会 保 険	役員と使用人は、強制的に健康保険と厚生年金に加入
アルバイトやパートタイマーに頼ることが多い	従業員の採用	社会的信用が高く社会保険もあるので、正規で働ける人材を集めやすい

法人と比べたときの社会的信用

　一般的に、個人事業よりも法人（会社）のほうが、社会的信用が高いといえます。なぜなら、法人は登記簿謄本を取り寄せることで、所在地や設立年月日、目的、資本金、役員などの重要事項を確認できるからです。社会的信用の高さは、大手企業と取引するときをはじめ、事務所や店舗を借りるときにも有利に働きます。

個人事業のさまざまな形態①
フリーランス

◆ 自宅や事務所を拠点にしてフリーで活躍する

　9ページで述べたようにフリーランスとは、社員としての雇用関係を結ばずに、独立した立場で専門的な技術やサービスを提供する個人事業主のことです。

　IT、マスコミ、ファッション、講師などの業界は、フリーランスの立場で仕事をするたくさんの人によって支えられています。プログラマー、デザイナー、カメラマン、ライター、コンサルタント、セミナー講師、スポーツインストラクターといった人達です。

　フリーランスの仕事は、特定の取引先と雇用関係を結ばず、仕事先を選んで案件ごとに仕事を引き受けるのが基本です。そのため、収入は安定しませんが、個人の能力と営業努力次第で、仕事量や実績に見合った報酬や評価を得ることができます。

　フリーランスで仕事をする条件は、**特定のスキルやノウハウを身につけている**ことです。特定の技能は、これまでの経験で得てきた仕事や趣味のスキルを活かすほかに、専門学校や通信教育の講座で習得したり、書籍やインターネットの情報から独学で身につけるなどの方法があります。

◆ 仕事の質を高めてクライアントの信用を勝ち取る

　フリーランスで生計を立てていくためには、クライアントの信用を得ることが欠かせません。それにはまず自分自身の技術をみがいて、仕事の質を高めていくことが大切です。**質の高いサービスや技術を提供することによって、クライアントは継続した仕事を依頼したいと思うようになります。**

　また、目の前の仕事をこなすだけではなく、**営業活動を積極的に行って、新しいクライアントを獲得する**ことも必要です。複数のクライアントとつながりをもつことで、依頼される仕事の量が増え、年間を通して収入を安定させることができます。

 ストアカ：先生（教えたい人）と生徒（学びたい人）をマッチングするサービスを提供するWebサイトの一つ（20・82ページ）。

代表的なフリーランス

出版・マスコミ	カメラマン、ライター、編集者、イラストレーター、エディトリアルデザイナー、アニメーター、映像クリエイター、アナウンサーなど
ファッション	ファッションデザイナー、メイクアップアーティスト、スタイリスト、フラワーデザイナー、販売員など
ＩＴ関係	WEB デザイナー、CG デザイナー、WEB クリエイター、ゲームクリエイター、プログラマー、エンジニアなど
講師	塾講師、各種教室の講師、スポーツインストラクター、フィットネス系インストラクター、着付け師、OA 機器インストラクターなど
職人	大工、電気工事士、家電修理工、庭師など
金融・保険	金融ディーラー、生命保険外交員、経営コンサルタントなど
作家	小説家、漫画家、脚本家、放送作家、翻訳家など
芸能	俳優、声優、ナレーター、作曲家、作詞家、ミュージシャンなど
士業	弁護士、司法書士、社会保険労務士、税理士、行政書士など
その他	セラピスト、キャリアカウンセラー、通訳、家事代行者、料理研究家、運転代行者、バイク便ライダーなど

店舗型（飲食店、小売店、教室など）

◆ お店での開業にはまとまった初期費用が必要

　個人事業には、店舗をかまえて事業を行う形態もあります。飲食店、小売店、各種教室、サロンなどがその代表例です。

　店舗をかまえて商売を始めるには、**ある程度のまとまったお金を準備しなければなりません。**開業費用は、お店や教室の規模や営業スタイル、場所などによって変わりますが、店舗や教室を借りるための保証金や前払いの家賃、内装や外装、エアコンなどの費用や工事費が必要になります。それ以外にもテーブルや棚などの什器や備品をそろえる費用や、メニューや看板を作る費用もかかります（第3章参照）。

　最近は店舗をかまえずにキッチンカー※などで飲食店を始めるケースも多く見られます。そのメリットは、店舗を借りるよりも初期費用を大幅に抑えられ、自由に移動できること。また、ショッピングセンターのイベントスペースなどに出店する、店舗をもたない飲食店や小売店もあります。

◆ 資格や届出が必要になるケースも

　事業を始めるときに、資格や許認可の届出が必要な業種もあります。

　飲食店を開業するには、「食品衛生責任者」を置いて、保健所に届け出なければなりません。この資格は、各都道府県の食品衛生協会が実施している講習を受けることで、簡単に取得できます。キッチンカーなどを使って移動販売の飲食店を始めるときは、移動販売で使用する車の申請も必要です。車内で簡単な調理を行う場合は「食品営業自動車」、弁当・惣菜屋など、調理加工済みの弁当や惣菜を販売する場合は「食品移動自動車」の申請が必要になります。

　また、リサイクルショップのように中古品を販売する場合は、「古物営業」の届出が必要になります。

　資格や許認可については40ページや126ページで説明します。

Word **キッチンカー**：食品を調理するための設備を備えた車。「フードトラック」ともいわれています。

◆ 店舗型の個人事業で成功するには

　店舗型の個人事業で、きびしい競争に生き残るためには、**品ぞろえやお店のレイアウト、接客などにこだわり、お客様に楽しんでもらうための雰囲気を演出することが大切です。**同じような製品・サービスであっても、お客様に「他のお店ではなく、この店で購入したい、サービスを受けたい」と思わせるプラスアルファがなければ、お客様の支持は得られません。価格だけで勝負をしてしまうと、豊富な資金がある大手にかなわないので、価格競争はやめるべきです。

　また、店舗型の個人事業は、スタート時点の知名度がないため、新聞や地域のフリーペーパー、インターネットなどに効果的な広告を行って、**お店の存在を知ってもらう必要があります。**

　成功するためのコツについての詳細は、第3章をご覧ください。

店舗型の個人事業の主な種類

飲　　食　　店

定食屋、居酒屋、ラーメン店、カフェ、スイーツ店など

小　　売　　店

弁当・総菜店、雑貨屋、ファッション店、リサイクルショップなど

教　　　　　室

音楽教室、料理教室、英会話スクール、着付け教室など

サ　　ロ　　ン

ネイルサロン、エステサロン、マッサージ店、ペットサロンなど

移　動　店　舗

弁当屋、スイーツ店、雑貨屋、ファッション店など

個人事業のさまざまな形態③
ネットショップ

◆ 実店舗をもたずに商品を販売するネットショップ

　実店舗をもたずに、インターネット上で商品を紹介して販売する業種もあります。いわゆるネットショップです。

　ネットショップの魅力は、**小さな初期投資で事業が始められる**こと。インターネット環境と、商品を保管するスペースさえあれば、店舗を借りるための費用や内装工事代などがかからないので、効率的に利益を上げることができます。ホームページの作成や広告宣伝を外部の人に頼まずに自分で行えば、開業のための費用は仕入代金以外ほとんどかかりません。

　ただし、実店舗がないといっても、ネットショップに個性がなければお客様の心をつかめないのは、店舗型の小売店と同じです。ネットショップのコンセプトやターゲットを明確にして、商品の魅力を特定の人に効果的に伝えることが、ネットショップ成功のカギです。

　そのために欠かせないのはホームページの充実です。見やすくて扱いやすい商品の説明があるのはもちろんのこと、購入の目的がなくてものぞいてみたくなるような魅力的なページを作りましょう。

　また、ネットショップでは、「クレジットカード決済」「代金引換」「コンビニ後払い」など、いくつかの支払い方法を用意しておくことが必要です。決済サービスであるレンタルショッピングカート※は必須です。

Word **レンタルショッピングカート**：ネットショップ用にクレジット決済などを提供するサービス。決済機能だけのサービスと、サイト全体をあわせて提供するサービスがあります。

◆ アクセス数の多さが成否のカギを握っている

　ネットショップの成否は、**集客つまりアクセス数の多さ**にかかっています。しかし、「自社サイト」（お店のホームページ）のアクセス数を増やすのは容易ではなく、SEO 対策（検索サイトの検索結果で自社サイトを上位表示させること）、頻繁な SNS 発信、ネット広告などに取り組まなければなりません。

　ネットショップで手っ取り早く集客を増やすのに便利なのが、楽天市場や Yahoo! ショッピング、Amazon といった「ショッピング（EC）モール」への出店です。この場合、月額利用料や手数料を支払うことになりますが、知名度の高いモールに出店すれば、集客力が上がり、売上の拡大を期待できます。その反面、利用者のクチコミに影響されやすく、競合他社と比較されて価格競争に陥りやすいというデメリットもあります。

　これに対して「自社サイト」は、ショッピングモールに支払う月額利用料や手数料などの費用がかかりません。さらに、個性的なサービスを打ち出しやすくなっています。ホームページの見せ方を工夫してお店のコンセプトを明確にすれば、ファンやリピーターを増やすこともできます。そのぶん集客には、大きな工夫が必要です。

　集客については第3章でくわしく説明します。

ショッピングモールへの出店と自社サイトの比較

ショッピングモールへの出店		自社サイト
月額利用料などの費用がかかる	◀ 費　用 ▶	費用があまりかからない
多くの人の目に触れる機会が増える	◀ 集　客 ▶	SEO 対策、SNS 発信、ネット広告などの活用が必要
見せ方が決まっているので、個性を打ち出しにくい ・価格やクチコミで競合他社と比較されやすい	◀ デザイン ▶	見せ方を工夫してお店のコンセプトを明確にできる ・消費者へのインパクト ・独自のサービスを打ち出しやすい

個人事業のさまざまな形態④
副業から始める

◆ 個人事業を立ち上げる手始めとしての副業

　「副業」でも事業を始めれば個人事業主です。副業とは、**本業をもつ人（多くの場合は会社員）が、本業（給与）以外から収入を得ている仕事**のことです。サイドビジネスやダブルワーク、兼業も同じ意味で使われています。

　その仕事の範囲は、広範に及びます。アルバイトや内職のようなものから、ヤフオク!やメルカリなどへの出品、SNS や YouTube での広告収入、家事代行サービスなども、副業としてとらえられます。また、その意味を拡大して解釈すれば、マンションや駐車場の経営、株や FX、仮想通貨などの投資も副業に含めることができるかもしれません。

　副業をする目的は人それぞれです。人気ユーチューバーになって一攫千金を狙う人もいれば、すき間時間を利用して月に数万円を稼ぐ人もいます。また、趣味で製作した小物を販売したり、得意な語学を活かして臨時収入を得るなど、趣味やいきがいの延長として副業を始める人もいます。

　本書では、副業で始めはするものの、いずれは本業にできるくらい収入を増やしていきたいと考えている方をメインにして話を進めます。

◆ 副業に向いている仕事

　カメラマンやプログラマーのようなフリーランスの場合は、一般的に企業などから直接、仕事を請け負うので、営業活動が必要です。しかし、**インターネットを使って不特定多数の人に業務を委託する「クラウドソーシング」**というサービスを使えば、クライアントを開拓しなくても自分のスキルを売る仕事を得ることができます。「Lancers（ランサーズ）」や「CrowdWorks（クラウドワークス）」「Craudia（クラウディア）」「ストアカ」「coconala（ココナラ）」といった大手のクラウドソーシングサイトには、イラスト制作やデザイン、ソフトウェア開発といった専門知識や技能を要するものから、家事代行や体験談の執筆といった比較的簡単なものま

Word **マッチングサイト**：需要と供給を仲介するサイトのこと。クラウドソーシングのように、仕事関連のマッチングサイトは「ビジネスマッチングサイト」と呼ばれることがあります。

で、さまざまな仕事が掲載されています。副業を始めるならば、営業活動をほとんどしないで済む、このようなマッチングサイト※を活用するのも一つの手でしょう。

　時間や場所を選ばずに仕事ができるという点では、**SNS などに広告を貼って商品を売り、広告主から手数料を得る**アフィリエイトや、SNS やYouTube で宣伝することで広告収入を得る方法も副業に向いています(96ページ)。これらを定期的に更新するには根気が必要ですが、ユーザーの関心をうまく引きつけることができれば、本業に影響を与えることなく収入が得られます。

　空き部屋や家の前の空きスペースのような遊休資産があれば、その資産を活用して稼ぐ方法もあります。「民泊」や「駐車場のシェア」「個人間のカーシェア」などのシェアリングビジネスがこれに当ります。これらも「Airbnb（エアビーアンドビー）」のようなマッチングサイトを活用すれば営業活動が少なくて済みます。

　「Uber Eats（ウーバーイーツ）」の配達パートナーも、自分の空き時間を使って働くことができるため、副業に向いている仕事といえます。

代表的な副業の例

アルバイト
就業後や休みの日にアルバイトをする

フリーランス

マッチングサイトを活用しライターや家事代行、配達などの仕事をする

ネット販売
ヤフオク！やメルカリなどで商品を売る

アフィリエイト
SNS などで他社の商品を売って手数料をもらう

広告収入

SNS や YouTubeなどで登録者を増やして広告収入を得る

シェアリングビジネス
空いている部屋を民泊として貸したり、車などを貸して稼ぐ

◆ 確定申告が必要なケースがある

くわしくは212ページ以降で説明しますが、**副業で収入を得たときに一番考えなければいけないのは、税金のこと**です。

原則として所得[※]を得ている人は、税金を支払わなければなりません。ここで問題になるのは、副業で得ている金額です。

副業で得た所得が年間20万円を超えている場合、確定申告をして、自分で税金を納めなければなりません。逆をいえば、副業をしていてもその所得が20万円以下ならば、原則として確定申告をする必要がないのです。

なお、確定申告とは、給与や個人事業での収入を計算して、正しい税金を納める手続きのことです（202ページ）。

確定申告が必要な例

売上（収入）	－	必要経費	＝	年間20万円**超**

確定申告が必要

パソコン代、携帯電話代、発送代、仕入代など（49ページ）

売上（収入）	－	必要経費	＝	年間20万円**以下**

確定申告が不要

超えた

20万円ライン

申告不要

申告必要

Word **所得**：売上から必要経費を差し引いた額を事業所得といいます。簡単にいえば、「事業のもうけ」です。所得にはこの他に給与所得などがあります（206ページ）。

◆ 副業が違反していないか確認する

　副業を始めるときに気をつけなければならないことは、現在働いている会社の規則です。会社によっては副業を禁止していることがあるからです。

　これまで多くの会社では、「業務に支障が生じる」「会社に損害を与える」「会社の信用を落とす」などの理由で、副業を原則禁止にしてきました。しかし、働き方改革により、副業が積極的に推進され、世の中全体で容認される方向に変わりつつあります。

　それでもまだ副業自体が禁止の会社もあり、副業を許可制にしている会社もあります。**違反すると懲戒の対象となり、きびしい処分が下されることもあります。**

　そうならないために、まずは「就業規則」を確認しましょう。就業規則とは、就業時間や休日、退職などの会社の雇用に関するルールが書かれているもので、従業員ならば誰でも見ることができます。

　なお、会社に隠れて副業をするのは得策ではありません。副業で収入が発生すると、給与から差し引かれる税金が高くなり、そのことから会社の経理部などに知られてしまうことがあります。

副業が禁止される場合の主な理由

「業務に支障が生じる」
副業が負担となって健康を害すると、本業に悪影響を与えるのでNG

「会社に損害を与える」
情報の漏えいは厳禁。同業他社（競業）で仕事をするのはNG

「会社の信用を落とす」
法律違反はもちろん、公序良俗に反する仕事はNG

個人事業主はあらゆる仕事を
一人でこなさなければならない

◆ 質の高い商品を用意して売ること

　個人事業主だけでなく、事業を営む者にとって、最も重要な仕事は、**質の高い商品（製品やサービス）を用意して、売る**ことです。

　質の高い商品とは、自分だけがよいと思ったものではなく、お客様にとって価値のあるものです。商品を作ったり、仕入れたりして、質の高い商品をお客様に提供できるように準備することは大切な仕事です。

　質の高い商品が用意できたら、次にそれを売ります。

　「売る」ためには、まず商品のよさを伝えなければなりません。店舗であれば、まずはお店に足を運んでもらうことです（詳細は第3章）。その後、並べた商品からお客様の好みに合った商品を買ってもらいます。そのとき、さらにここにお店の雰囲気や従業員の接客といった付加価値※が加わって、代金に見合ったクオリティかどうかが評価されます。フリーランスであれば、自分の実力や実績などをアピールして発注してもらうことです。

　購入された商品が、お客様から高い評価を受けることができれば、リピーターとなって再び購入してもらえます。飲食店の繰り返しの来店はその代表でしょう。

　これらが事業で一番大切な「質の高い商品を用意して売る」ということです。

◆ すべての仕事を一人でこなさなければならない

　事業には、上記以外にもいろいろな仕事があります。大きな組織では、それぞれの仕事はいくつかのチームで分担されますが、個人事業主は、**事業にかかわるあらゆる仕事を一人でこなさなければなりません**。会社であれば、経営者、製造部、購買部、企画開発部、営業部、マーケティング部、広報部、経理部、人事部、総務部などが担当する業務が、個人事業では、すべて自分の仕事になるのです。

Word **付加価値**：「この店で購入したい」と思わせる、他のお店にはない特徴。商品やサービスに付加価値をつけることで、お客様に満足してもらうことができます。

　事業の方向づけや年度計画といった経営者の仕事をはじめ、商品企画、仕入、営業、広告宣伝、サービス提供といった直接的な仕事はもちろんのこと、備品の調達、宅配便の発送、壊れたパソコンの修理、入金の確認のような間接的な仕事まで、個人事業主はすべて自分で行わなければなりません。アルバイトでも雇わない限り、誰かがやってくれることはないのです。個人事業を始めるならば、このことは覚悟しなければなりません。

個人事業主は一人で何役も仕事をこなす

1 意思決定
会社でいえば、
経営者の仕事

5 経理、雑務
会社でいえば、
経理部、人事部、
総務部の仕事

**2 商品や
サービスの提供**
会社でいえば、
製造部、購買部の仕事

個人事業主

**4 営業、
マーケティング**
会社でいえば、
営業部、マーケティング部、
広報部の仕事

3 商品企画
会社でいえば、
企画開発部の仕事

自分がしたいことを見直して 独立する方向性を考える

◆ 開業の動機を掘り下げていく

　個人事業を始めるときに、最初に行うべきことは、**個人事業を始めたいと考えている自分の動機を掘り下げていく**ことです。

　好きなことを仕事にしたいのか、好きな時間や場所で働きたいのか、自分のアイデアが通用するかを試してみたいのか、会社のしがらみや人間関係のなかで働くのがつらくなったのか、収入を増やしたいのか、家族や趣味の時間を増やしたいのか……など、いろいろな側面から掘り下げていくことが大事です。

　もちろん"動機が一つだけ"ということはありません。いろいろな理由が絡み合っているはずです。たとえば、「収入を増やしたいが、長時間、働きたくない」という点がぶつかったとしましょう。その場合、最低限どのくらいの収入にしたいのか、どのくらいの時間なら仕事に費やしてもいいのかなどを考え、**バランスをとっていく**のです。

　また、掘り下げていく途中で、個人事業での開業ではなく、部署異動や転職という選択肢も出てくるかもしれないし、別の事業アイデアが出てくるかもしれません。いずれにしても、一度しっかりと自分と向き合った経験があれば、個人事業を始めてさまざまな壁に当たったときに、乗り越えることができるはずです。

- ● 好きな時間や場所で働きたい
- ● アイデアが通用するかを試してみたい
- ● 画期的なアイデアを思いついた
- ● 今の人間関係のなかで働くのがつらくなった
- ● 収入を増やしたい
- ● 家族との時間を増やしたい　など

Word **フランチャイズ**：お店の看板と確立されたノウハウを活かして展開する個人事業の形態。加盟店オーナーは、その対価として本部にロイヤリティを支払うことになります。

◆ どのように独立するか考える

　個人事業の始め方は、大別すると「これまでの経験を活かす事業」「趣味の分野や興味のある事業」「まったく別の新しい事業」の３つに分けられるでしょう。

　「これまでの経験を活かす事業」ならば、ある程度のスキルやノウハウがあり、得意な分野なので、開業のハードルは低くなります。

　「趣味の分野や興味のある事業」の場合は、自分が関心をもっていることなので、調べていくことが楽しいため、どんどん知識がたまっていくことでしょう。

　「まったく別の新しい事業」の場合は、挑戦です。チャレンジ精神が旺盛な人に向いています。なお、すでに事業のしくみができあがっているフランチャイズ※を活用するケースもここに含まれるでしょう。

どのような事業を行いたいか？

**①これまでの
　経験を活かす事業**
ある程度のスキルやノウハウをすでにもっているので、勉強は別の部分に集中できる

**②趣味の分野や
　興味のある事業**
興味・関心があることなので、勉強が苦にならない

③まったく別の新しい事業
・すべて自分で行う場合は、多くの勉強が必要
　（チェレンジ精神が必要）
・すでにあるしくみを使って、そのノウハウを活用する

ライバルをリサーチして
事業の "すき間" を見つける

◆ すき間こそ、個人事業が狙うべき

　世の中にまったく新しい商品や事業というものは、まずありません。もし、画期的なアイデアを思いついたとしても、似たようなものが必ずどこかには存在しています。つまり、たくさんのライバルがいるなかで、個人事業を始めるわけです。

　しかし、似たような商品や事業であっても、差別化※ができれば個人事業として成り立ちます。たとえ、自分よりすぐれている商品があったとしても、すべてのお客様が満足する商品は存在しません。**あるお客様には、あなたが提供する商品のほうがほしい**ということは必ずあるのです。

　大手企業と違い、個人事業は狭いニーズ、つまり "すき間" を狙うべきだといわれています。大手企業の商品は、かかわる人が多いので、大きな売上を得るためにたくさんの人に買ってもらわなければなりませんが、個人事業はそこまで大きな売上は必要ありません。ある特定の人が求めるものを提供すればいいのです。これが "すき間" です。**個人事業はすき間商品を、特定の人に提供すれば成り立つ**のです。チラシのデザイナーならば、自分の得意分野、たとえば自転車だけのように、ターゲットを絞ることで、ほかのデザイナー（ライバル）と差別化ができます。

　また、同じ商品でも提供する地域が異なるだけでも事業は成立します。チェーン店は、どこでも同じ商品を提供していますが、それぞれの地域でニーズがあるため、各地に出店しています。つまり "すき間の地域" に商品を提供していると考えることができるのです。

この "すき間" イケる！

Word 　**差別化**：明確な区別をつけて、自分の特徴を打ち出すこと。ライバルや競合商品に打ち勝つには欠かせない戦略の一つです。

◆ ライバルをリサーチする

　"すき間"を探し出すにはリサーチしかありません。

　インターネットで検索すれば、いろいろな事業を探し出せます。先ほどのチラシのデザイナーならば、チラシという大きなくくりだけでなく、自転車のチラシについて調べます。チラシのなかでも自分の得意分野を作ることができれば、クライアントから求められます。

　カフェであれば、自分のアイデアに近い全国のカフェはもちろんのこと、お店を出したいと考えている地域の喫茶店も調べます。そのときに大切なのは、そのお店が**繁盛している理由を見極める**ことです。そして、参考にすべき部分を取り入れたり、逆にそのお店にない特徴を出したりすることで新しいお客様を開拓する方法などを考えるのです。

　また、その分野の成長性を調べることも大切です。現在はニーズがあったとしても、将来的にニーズが減っていく場合は、注意が必要だからです。それでも"すき間"を狙う個人事業の場合は、市場のニーズが減って大手が撤退したあとも、事業の成長性につながる可能性はあります。

　このようにリサーチしていくことで、あなたのアイデアにみがきがかかっていきます。あとは、そのアイデアを実現していくことができれば、事業は十分成立します。

リサーチすべき代表的な項目

□ 事業を行うジャンル
□ ジャンルの成長性（時代に求められているか？）
□ ジャンルを細分化したときのニーズ
□ 事業を行う地域での成長性
□ ライバル（同業者）の数
□ 細分化したときのライバルの数と特徴
□ ライバルの強みと弱み（すぐれた部分と弱いところ）
□ 細分化したときの、地域での成長性　など

リサーチなくして事業の成功なし！

相手に喜ばれる
商品やサービスを提供する

◆ まわりの人の意見や感想に耳を傾ける

　個人事業を始める場合、**提供する商品が相手に喜んでもらえるかどうか**を考えることが大事です。

　お客様やクライアントはその商品に価値があると感じてくれるからこそ、それに見合った対価を支払います。もしその商品の評価が相手の期待を下回ってしまったら、相手は二度と来店しませんし、自分のもとに発注や依頼をかけてくることはありません。

　これは業種にかかわらず、商売の大原則です。

　事業を始める人は、商品に自信をもち、うまくいくと確信しているものです。もちろんその自信がなければ、事業の成功はあり得ませんが、実はそこに落とし穴が隠れていることがあります。

　開業の準備を始める前に今一度、自分が提供する商品を客観的に見てください。そしてできれば、**信頼のできる友人などに、感想を聞いてみてください**。相手が事業の成功を応援してくれていれば、本当のことをいってくれるはずです。たとえば飲食店の場合、味はよいけれども料理の彩りや盛りつけがよくない、メニューのバリエーションが少なすぎる、月に一度ならよいけど毎日食べるとしたら値段が高い――こうした率直な感想は、アンケートのような市場調査※では得られない、本物の声です。その声に真摯に耳を傾け、改善のヒントにすることができたなら、事業が成功する確率はそれだけ高くなります。

◆ ライバルと比べたときの自分の強みを知る

　商品の価値を客観的に見定めるには、同業他社や地域の競合店の調査も大切です。開業後、お客様やクライアントが自分に価値を見いだしてくれるのは、他と比べたときに秀でている点があるからです。

　それは価格や品ぞろえかもしれないし、仕上がりの質や味かもしれない

Word **市場調査**：アンケートなどによって、市場の動向やトレンド、顧客のニーズなどを調べること。「マーケットリサーチ」ともいいます。

し、仕事のスピードかもしれません。店舗の場合は内装や雰囲気、接客、立地や駐車場の有無、営業日や営業時間などが評価されることもあるでしょう。

　もし開業の前に、こうした自分の強みを知ることができれば、事業計画や販売戦略を練るときなど、あらゆる点で優位に立つことができます。

　開業の前には、できるだけ同業他社や地域の人気店をリサーチし、自分が提供する製品やサービスと比較して、どうやったら彼らに太刀打ちできるのか、**自分の強みを見極めておく**ことが大事になります。

自分の事業の強みを知るためのチェックシート

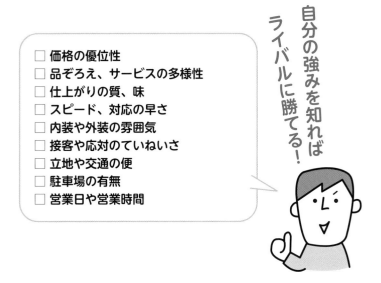

- ☐ 価格の優位性
- ☐ 品ぞろえ、サービスの多様性
- ☐ 仕上がりの質、味
- ☐ スピード、対応の早さ
- ☐ 内装や外装の雰囲気
- ☐ 接客や応対のていねいさ
- ☐ 立地や交通の便
- ☐ 駐車場の有無
- ☐ 営業日や営業時間

自分の強みを知れば
ライバルに勝てる！

Check! 開業する場所の地域性を知っておく

　飲食店や小売店などは、出店する場所を決めてから店の特徴を打ち出すこともあります。しかし、その場合も、地域のリサーチは欠かせません。できるだけ自分の足で周辺を歩き、曜日や時間帯によって異なる人の流れなどを観察し、客として近隣のお店を訪ねるなどして、その場所で何が求められているのかを知っておきましょう。

事業が軌道に乗ったら、
やがては法人に……

　個人事業と法人（会社）の違いについては 12 ページで説明しましたが、最初は個人事業で開業し、ある程度の実績を積んで、事業規模の拡大に伴って法人として再スタートを切るというケースもしばしば見られます。

　個人事業主が法人（一般的には株式会社）を設立して、会社という組織のなかでこれまでの事業を引き継いでいくことを「法人成り」といいます。

　法人になるメリットには、税金面での優遇はもちろん、社会保険に加入するので従業員を集めやすいなどの点があげられますが、最も大きいのは信用のアップです。会社を設立することによって、組織としての社会的信用が増し、金融機関から融資を受けやすくなったり、新しい会社と取引ができる可能性が広がっていきます。

　また、法人成りの場合は、ゼロから会社を立ち上げるケースと異なり、個人事業主の資産（預金、売掛金、備品や車両など）を引き継ぐことになるので、会社としては有利なスタートを切ることができるでしょう。

　現行の法律のもとでは、会社設立のハードルは低いものになっています。

　たとえば、以前の法律では株式会社を設立する場合、最低でも 4 人の役員が必要でしたが、現在は役員の人数の規制が緩和され、取締役が 1 人いれば株式会社を設立することができます。つまり、**個人事業主が取締役になれば、法律上の要件を満たすことができる**のです。

　また、以前は、有限会社であれば最低 300 万円、株式会社であれば最低 1,000 万円の資本金を用意しなければなりませんでしたが、現在は最低資本金の規制がなくなり、資本金 1 円でも株式会社を設立できるようになりました。

　人材確保の面においても資金面においても、ハードルが低くなった会社設立。事業が軌道に乗り始めたら、事業をさらに拡大するためにぜひとも考えてみたい選択肢の一つです。

第2章

◆

開業の準備

個人事業をスタートする前に やるべきこと

◆ 個人事業を始めるまでの準備と手続き

　準備から開業までの流れは、事業の内容や規模などによって大きく異なります。勤めていた会社を退職して、まったく新しい事業をスタートする場合もあれば、フリーランスとして独立した立場で、会社員時代と同じ仕事を請け負うケースもあるでしょう。また、個人事業を始めたのちも、副業をもつ人もいるかもしれません。

　右ページに示したのは、本書で紹介している個人事業を始めるまでの準備や手続きの流れです（会社を辞めて独立・開業するケースを想定しています）。本書の参照ページを示しているので、知りたい情報を得るための参考にしてください。

　実際はすべてがこの順番どおりに進むわけではありません。「事業の構想を練る」の内容は、最初の段階だけではなく随時検討すべきものであり、「開業前の具体的な準備」のなかの項目は、届出や申請と同時に進められることもあるでしょう。

　しかし、どのようなケースでも共通していえるのは、**事業を成功させるには計画が必要**だということです。熱い思いや斬新なアイデアがあっても、何をすべきかがわかっていなければ、事業成功というゴールに至る道をそれて時間やお金が浪費されるだけです。

　また、急がば回れという言葉があります。結果をすぐに求めるのではなく、事業を安定させるための足場固めをしっかりと行ってから、着手していくというのが息の長い商売をする鉄則です。開業の準備を進めるときは、つねになりたい自分をイメージし、今自分が何をすべきかを考えて行動するように心がけましょう。

Point **開業に必要な資格：** 右ページの一覧では省略しましたが、税理士や社会保険労務士、美容師のように、資格を取得しなければ開業できない仕事もあります（40ページ）。

個人事業を始めるまでの準備と手続き

事業の構想を練る	リサーチする	⇒28ページ
	集客方法を考える	⇒66ページ
	事業のコンセプトを固める	⇒68ページ
	屋号をつける	⇒70ページ
	事業の価値を高める方法	⇒76ページ
	価格を決める	⇒106ページ
	【飲食店、小売店、ネットショップの場合】	
	メニューを考える	⇒88ページ
	QSCHについて考える	⇒90ページ
	仕入先を見つける	⇒108ページ
事業計画書を作成する	アイデアを整理してターゲットや事業の方向性を確認する	⇒44ページ
利益計画書を作成する	目標となる数字を明らかにし、事業の採算性を確認する	⇒48ページ
開業資金を準備する	開業準備にかかる初期費用と、当面の運転資金を用意する	⇒52ページ
資金計画を立てる	今の自分にどれくらいの蓄えがあるかを確認、当面の生活費を計算する	⇒54・56ページ
個人事業の開始を届ける	「個人事業の開業・廃業等届出書」	⇒116ページ
	「事業開始等申告書」	⇒118ページ
	「所得税の青色申告承認申請書」	⇒122ページ
許認可を受ける	開業に必要な行政の許認可を受ける	⇒126ページ
銀行口座を開設する	個人事業用の預金口座やクレジットカードを作る	⇒58ページ
開業前の具体的な準備	名刺やショップカードを作る	⇒70ページ
	ホームページを作成する	⇒72ページ
	事務所や店舗を借りる	⇒98・100・102・104ページ
	広告・宣伝活動をする	⇒74・84ページ
	【フリーランスの場合】	
	ポートフォリオを作成する	⇒78ページ
	クラウドソーシングで仕事を見つける	⇒80ページ
	【飲食店、小売店、教室、ネットショップの場合】	
	看板やPOP広告を作成する	⇒86ページ
	ネットショップを立ち上げる	⇒92・94ページ
社会保険の手続きをする	国民健康保険と国民年金に加入する	⇒36ページ
課税事業者になる	インボイス制度の適用を受ける	⇒142ページ

事業スタート

会社を辞めて
個人事業を始めるときの手続き

◆ 個人事業主は国民健康保険と国民年金に加入する

　勤めていた会社を辞めて正式に個人事業を始める場合、開業の前に、いくつかの手続きを踏まなければなりません。ここでは、健康保険や国民健康保険などの「医療保険」、国民年金や厚生年金保険などの「公的年金」の手続きについて説明します。

　会社を辞めて個人事業を始めることになると、医療保険は原則として「国民健康保険」に、公的年金は「国民年金の第1号被保険者」に切り替わります。

　会社を辞める際の手続きは、原則として会社が行うことになるので、自分でする必要はありませんが、国民健康保険や国民年金に加入するための手続きは、退職後に自分でします。

◆ 国民健康保険と国民年金の加入手続き

　国民健康保険に加入する場合は、原則として、退職日の翌日から14日以内に、住所地の市区町村役場で手続きします。手続きの前に、退職する会社から「健康保険被保険者資格喪失証明書」や「退職証明書※」などを受け取っておきましょう。

　退職後に加入する医療保険は、勤めていた会社の健康保険に引き続き加入する方法もあります。ただし、この健康保険の任意継続は最長で2年間しか加入できないので、そのあとは国民健康保険に切り替える必要があります。なお、40歳以上の人が納める介護保険料は、加入する医療保険に含まれます。

　一方、国民年金は、会社を辞めて個人事業主になると、第2号被保険者から第1号被保険者となり、厚生年金保険（公務員の場合は共済年金）から脱退することになります。

　「年金手帳」と退職時に会社から受け取る「退職証明書」を持参して、

Word **退職証明書**：会社を辞めたことを証明する書類。退職年月日、使用期間、業務の種類、事業における地位、退職の理由などが記載されています。

退職日の翌日から14日以内に、住所地の市区町村役場で手続きを行いましょう。配偶者を扶養にしていた人は、配偶者の年金手帳も忘れずに。

　国民健康保険と国民年金の加入手続きの詳細については、住所地の市区町村の各担当課にお問い合わせください。

　また、「給与所得の源泉徴収票」も、確定申告（212ページ）のときに必要になるので、会社から受け取っておきましょう。

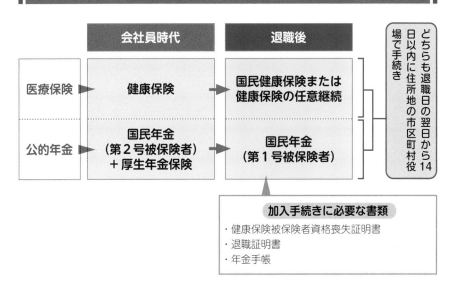

会社を辞めたら国民健康保険と国民年金に加入

	会社員時代	退職後	どちらも退職日の翌日から14日以内に住所地の市区町村役場で手続き
医療保険	健康保険	国民健康保険または健康保険の任意継続	
公的年金	国民年金（第2号被保険者）＋厚生年金保険	国民年金（第1号被保険者）	

加入手続きに必要な書類
・健康保険被保険者資格喪失証明書
・退職証明書
・年金手帳

Check!

個人事業主の配偶者の国民年金について

　国民年金保険は、20歳以上60歳未満のすべての国民に加入が義務づけられています。個人事業主は第1号被保険者、会社員は第2号被保険者、会社員世帯などの専業主婦（主夫）は第3号被保険者となります。

　自分が会社員や公務員の場合、扶養している妻や夫は保険料を納める必要はありませんが、会社を辞めて個人事業主になったら、第3号被保険者の配偶者も市区町村に届出をして保険料を納めなければならなくなります。

副業をスタートする前の準備と手続き

◆ 副業を始める前に就業規則を確認する

　会社員として仕事を続けながら、副業で収入を得たいと考えている人に向けて、開業の前にやるべきことを簡単に説明します。

　最初に確認するのは、会社の就業規則[※]です。23 ページで説明したように、最近は副業を認めている会社も多くなり、その規制はだんだんゆるくなってきていますが、副業の内容に条件を設けたり、報告を義務づけているケースも少なくありません。違反をすると減給などの懲戒処分を受けることもあるので、副業を始める前に会社の総務などに相談し、確認を取るようにしたほうがよいでしょう。

◆ 副業でも個人事業の開始を届ける

　副業を開始するときも、**税務署に「個人事業の開業・廃業等届出書」（116 ページ）、所轄の都道府県税事務所などに「事業開始申告書」（118 ページ）を提出する**必要があります。これらはどちらも税金の支払いに関する書類です。所得税の場合、所得（事業のもうけ）が年間 20 万円を超えたら、税務署に申告をして、税金を納めなければなりません（22 ページ）。

　なお、副業であっても、個人事業の開業を届け出ることで、屋号をつけることができるようになります。屋号とは会社でいう社名のようなものです。屋号をつけることによって、お客様やクライアントに事業として認められやすくなります。

　右に示したのは、本書で紹介している副業を始めるまでの準備や手続きの流れです。本書の参照ページを示しているので、知りたい情報を得るための参考にしてください。

　実際はすべてがこの順番どおりに進むわけではありません。副業の種類や規模によって、手続きや具体的な準備の内容は変わってきます。

Word **就業規則**：会社や従業員が守るべきルールをまとめたもの。従業員は見たいときにいつでも閲覧することができます。

副業を始めるまでの準備と手続き

事業の構想を練る	リサーチする	⇒28ページ
	集客方法を考える	⇒66ページ
	事業のコンセプトを固める	⇒68ページ
	屋号をつける	⇒70ページ
	事業の価値を高める方法	⇒76ページ
	価格を決める	⇒106ページ
	仕入先を見つける	⇒108ページ
	SNSやYouTubeなどで収入を得る方法	⇒96ページ
	専門的なスキルを売る方法	⇒82ページ
	クラウドソーシングで仕事を見つける方法	⇒80ページ
会社の就業規則を確認する	許可制の場合は事前に会社に申告する	⇒20・38ページ
事業計画書を作成する	アイデアを整理してターゲットや事業の方向性を確認する	⇒44ページ
利益計画書を作成する	目標となる数字を明らかにし、事業の採算性を確認する	⇒48ページ
個人事業の開始を届ける	「個人事業の開業・廃業等届出書」	⇒116ページ
	「事業開始等申告書」	⇒118ページ
	「所得税の青色申告承認申請書」	⇒122ページ
許認可を受ける	開業に必要な行政の許認可を受ける	⇒126ページ
銀行口座を開設する	個人事業用の預金口座やクレジットカードを作る	⇒58ページ
〔開業前の具体的な準備〕	名刺やショップカードを作る	⇒70ページ
	ホームページを作成する	⇒72ページ
	SNSやYouTubeで宣伝する	⇒74ページ
	ポートフォリオを作成する	⇒78ページ
	ネットショップを立ち上げる	⇒92・94ページ

事業スタート

資格が個人の特技や
お店の特徴をアピールする

◆ 資格を活かして事業の特徴をアピールする

　個人事業や副業の多くは、資格がなくてもその職業につくことができます。しかし、取得しておけば、その能力やスキルを証明することになり、お客様や取引先の信頼を得るのに有利に働く資格もあります。

　たとえば、通訳や翻訳など、英語に関連した仕事にたずさわる場合、全国通訳案内士（日本政府観光局）や日商ビジネス英語検定（商工会議所）、TOEIC®（国際ビジネスコミュニケーション協会）などの資格取得や高得点は、語学力を証明する大きなアピールポイントになるでしょう。

　語学同様、IT関係にも資格取得者にスキルがあることを証明している仕事があります。CGクリエイターやCGエンジニア（画像情報教育振興協会）などです。

　また、フリーランスの販売員が販売士（日本商工会議所）を取得すれば、豊富な商品知識と高度な接客・販売技術をアピールするのに役立つでしょうし、ソムリエ（日本ソムリエ協会）の資格があれば、レストランを開業するのに大きな武器になることもあります。

◆ 資格がなければその肩書を名乗れない仕事

　資格がなければその肩書を名乗れない職種もあります。個人事業や副業で身近なところでは、調理師、栄養士、製菓衛生師などです。

　たとえば、調理師を名乗るには、各都道府県にある調理師学校を卒業するか、飲食店で2年以上の実務経験を積み、国家試験に合格する必要があります。調理師は飲食店を営む際の必須の資格ではありませんが、調理師の資格をもっていれば、一定の技能と知識があることを証明し、信頼性のアピールにつながります。

　なお、飲食店を開業するには、食品衛生責任者（126ページ）を置かなければなりませんが、調理師、栄養士、製菓衛生師の資格を取得していれ

Word 　**士業**：弁護士、税理士、行政書士、司法書士など、専門性の高い職業を「士業」と呼ぶことがあります。これらの職業につくためには、難易度の高い国家試験に合格しなければなりません。

ば、講習を受けなくても食品衛生責任者になることができます。

　美容院や理容室を開業するには、美容師や理容師の資格が必要です。たとえば、美容師の資格をとるには、厚生労働大臣指定の養成学校の必要課程を修了し国家試験に合格しなければなりません。さらに開業後、自分以外の美容師を雇う場合には、管理美容師という資格も取得する必要があります。

　また、税理士や社会保険労務士（士業※）は本人が取得していないと開業が認められません。あるいは、宅建業（宅地建物取引士）、旅行業（旅行業務取扱管理者）のように、特定の資格をもった人を最低一人営業所に置かなければいけない資格もあるので、該当する人は開業の前に必要な資格を調べておきましょう。

資格の種類

●国家資格●

法律に基づいて国が認定する資格

美容師、理容師、
あん摩マッサージ指圧師など

●民間資格●

民間の団体や企業が認定する資格

ソムリエ、
インテリアコーディネーター、
ネイリスト技能検定など

Check! 開業するにあたって絶対に必要な許認可

　資格とは異なりますが、開業にあたって行政の「許認可」を受けなければ開業できない仕事があります。許認可が必要な業種は、主に公衆衛生上や公安上などの理由で、役所や警察署などへの届出や登録が必要になるものです。たとえば飲食店を開業する場合、「飲食店営業許可」を保健所に届け出なくてはなりません。個人事業に関連する主な許認可ついては、126ページで説明します。

事業主の " 給与 " は
事業の利益

◆ 売上がそのまま給与になるわけではない

　会社員が毎月決まった額を給与として受け取るのに対して、個人事業や副業では事業の利益を " 給与 " として得ることができます。

　ここで注意したいのは、**利益は事業の売上と同じではない**ということ。製品やサービスを提供してお客様から受け取るのは " 売上 " ですが、そこから必要経費などを差し引いたものが、" 利益 " となるのです。

　必要経費とは、簡単にいえば、事業を行って売上を得るための費用のことです。具体的には、店舗や事務所の家賃、水道光熱費、電話料金、交通費、従業員に支払う給与、商品やお店の宣伝費などが必要経費となって、売上から引かれるのです。

　さらにいえば、売上から必要経費を引いた利益の中から、税金（203 ページ）や社会保険料※などを納めなければならないので、事業主が自由に使えるお金として受け取ることができるのは、最終的には利益よりも少なくなるということを頭に入れておきましょう。

◆ 利益は、毎月決まった額になるとは限らない

　事業の利益は、毎月決まった額になるとは限りません。業種によっては季節や天候の影響も受け、仕入の状況、景気や流行、競争相手の動向、事業主の体調などによっても左右されます。

　事業主はそういった事情を鑑みて、事業を継続し、自分の生活を維持するためのお金を確保しなければいけません。当然ながらそのためには、貯金をしておくなどの資金計画（54 ページ）が必要になります。

　この貯金がないと、事業はいわゆる自転車操業（借金と返済を繰り返して、なんとか事業を継続させている状態）に陥り、それが常態化すると慢性的な赤字になってしまいます。そうなってしまえば、個人事業といえども、経営者として失格です。

社会保険料：個人事業主が加入する社会保険は、「国民健康保険」「国民年金」「介護保険」。社会保険料とはこれらの保険料のことです。社会保険料は個人事業主本人が全額を負担します。

◆ 利益を増やすにはどうすればよいのか？

利益を上げるには、売上を最大限に伸ばすという努力が求められます。たとえば、広告宣伝費をかけてお客様や注文の数を増やしたり、製品やサービスの価格を上げていくことです。

しかし、利益と同じように必要経費が増えれば、利益はプラスマイナスゼロで変わらなくなってしまうので、売上に関係しそうな必要経費はかけ、それ以外の必要経費は最小限に抑えるのが基本になります。

売上から必要経費を差し引く

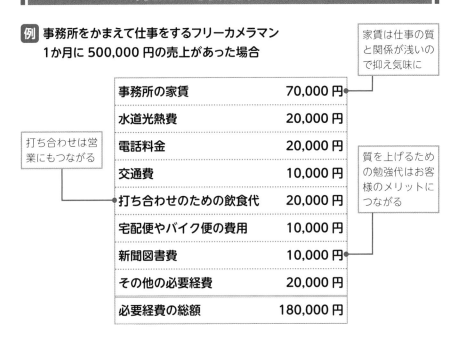

例 事務所をかまえて仕事をするフリーカメラマン
1か月に500,000円の売上があった場合

家賃は仕事の質と関係が浅いので抑え気味に

事務所の家賃	70,000円
水道光熱費	20,000円
電話料金	20,000円
交通費	10,000円
打ち合わせのための飲食代	20,000円
宅配便やバイク便の費用	10,000円
新聞図書費	10,000円
その他の必要経費	20,000円
必要経費の総額	180,000円

打ち合わせは営業にもつながる

質を上げるための勉強代はお客様のメリットにつながる

売上 500,000円	－	必要経費 180,000円	＝	利益 320,000円

売上から必要経費の総額が差し引かれて、事業主がその月に得られるお金（＝利益）は、320,000円となる（税金などはここから支払う）

事業計画書は
個人事業の設計図

◆ 事業の方向性を再確認する

　開業準備のなかでも大切なのは、事業計画を練り上げることです。それは事業が成功するまでのシナリオを書くことでもあり、頭のなかに描いていたアイデアを整理して現実的なものにする最初の機会になります。

　事業計画書とは、事業の内容や目標を書き出した設計図のようなものです。作成の主な目的は、アイデアを整理して事業の方向性を確認することです。同時に、取引先やクライアントに事業の内容を説明したり、銀行から融資を受ける際の説得材料にもなります。

　事業計画書には、決まった書式があるわけではありません。何度も書き直して、数字や目標をより現実的なものにしていきましょう。目標を高く掲げることは悪いことではありませんが、現実とかけ離れてしまうと、細かな仕事を積み重ねることができません。そうなると実現もできなくなってしまいます。必要に応じて第三者に意見や感想を求め、誰が見てもわかりやすいものにしましょう。

　事業計画書に盛り込む主な内容は、次のとおりです。以下は 46 ページで示した日本政策金融公庫※の創業計画書を参考にしています。

- 開業の動機
- 経営者の略歴（職歴や特技、過去の事業経験）
- 取り扱う商品やサービス内容と特徴（セールスポイント）
- 対象とするマーケットと戦略（営業やマーケティングの方法）
- 取引先（販売先、仕入先、外注先）
- 従業員
- 開業に必要な資金と、その調達方法
- 開業後の事業の見通し（売上、仕入、必要経費、利益）

Word **日本政策金融公庫**：100％政府出資の政府系金融機関。略称は「日本公庫」。実績のない個人事業や零細企業に対しても積極的な融資を行っています。

◆ ６Ｗ２Ｈで頭の中を整理する

　事業計画書を作成するにあたって最も大切なのは、開業動機の見直しです。なぜ自分がこの事業を始めようとしているのか、その目的は何か、改めて自分に問い直してみましょう。

　このときに役立つのが、整理や再確認に役立つ６Ｗ２Ｈです。事業計画書に記入する前に、以下の８つの項目を掘り下げると、事業の方向性が明確になります。

　なお、この６Ｗ２Ｈは、開業後に事業戦略を練るときなどにも役立ちます。

事業計画を練るための６Ｗ２Ｈ

Who ?【誰が？】	事業の主体について（自分一人？　自分と家族？　スタッフを雇う？）
Whom ?【誰に？】	お客様について（ターゲットをどこに絞る？）
Where ?【どこで？】	店舗をかまえる場所や活動の拠点、狙っている市場について
What ?【何を？】	提供する商品の内容やその特徴について
Why ?【なぜ？】	事業の成功を確信する理由、または開業の動機について
When ?【いつ？】	開業の時期、営業時間について
How to ?【どのように？】	商品を提供する方法、営業やマーケティングのやり方について
How much ?【どのくらい？】	開業資金、売上目標、利益目標について

第三者の意見にも耳を傾けよう

　自分のアイデアを整理することと、それを他人に伝えることが目的の事業計画書ですが、事業に対する熱い思いが、客観性を失わせてしまうことがあります。事業計画書を作ったら、家族や友人などに見せて意見を聞いてみましょう。自分では気がつかなかった計画のアラや見落としを発見できます。

創業の目的や動機、きっかけなどを記入。
例）コーヒーのおいしさを伝えたい。知り合いの仕入先業者からエチオピアのコーヒー豆を安く仕入れることができるようになったなど

創 業 計 画 書

（ご氏名）

1 創業の動機（創業されるのは、どのような目的、動機からですか。）

2 経営者の略歴等（略歴については、勤務先名だけではなく、担当業務や役職、身につけた技能等についても記載してください。）

年 月	内 容

これまでの勤務先（担当業務や役職）、身につけた技能などを履歴書のように記入

過去の事業経験	☐ 事業を経営していたことはない。 ☐ 事業を経営していたことがあり、現在もその事業を続けている。（事業内容：　　　　　　　） ☐ 事業を経営していたことがあるが、既にその事業をやめている。（やめた時期：　　年　　月）
取 得 資 格	☐ 特になし　☐ 有（　　　　　　　　　番号等　　　　　　）
知的財産権等	☐ 特になし　☐ 有（　　　　　　　　　☐ 申請中　☐ 登録済）

3 取扱商品・サービス

事 業 内 容	
取扱商品・サービスの内容	① （売上シェア　　％） ② （売上シェア　　％） ③ （売上シェア　　％）

客単価（飲食・小売等）	円	受注（販売）単価（建設・製造業等）	円
営業日数（月）	日	定休日（飲食・小売等）	

セールスポイント	
販売ターゲット・販売戦略	
競合・市場など企業を取り巻く状況	

製品やサービスの内容、セールスポイント、ターゲット、販売戦略を具体的に記入。
例）子育て世代の30代女性がメインターゲット。エチオピアの希少な豆を手頃な価格で提供できるなど

4 従業員

常勤役員の人数（法人の方のみ）	人	従業員数（3ヵ月以上継続雇用者※）	人	（うち家族従業員） （うちパート従業員）	人 人

※ 創業に際して、3ヵ月以上継続雇用を予定している従業員数を記入してください。

5 取引先・取引関係等

	フリガナ 取引先名	所在地等（市区町村）	取引先のシェア	掛取引の割合	うち手形割合 手形のサイト	回収・支払の条件
販売先			％	％	％ 日	日〆　　日回収
			％	％	％ 日	日〆　　日回収
		ほか　　　　社	％	％	％ 日	日〆　　日回収
仕入先			％	％	％ 日	日〆　　日支払
			％	％	％ 日	日〆　　日支払
		ほか　　　　社	％	％	％ 日	日〆　　日支払
外注先			％	％	％ 日	日〆　　日支払
		ほか　　　　社	％	％	％ 日	日〆　　日支払
人件費の支払	日〆　　　日支払（ボーナスの支給月　　　月、　　　月）					

大きな販売先や仕入先がある場合は記入。
小売店などの場合は、販売先を「一般個人」や「ネットユーザー」などと記入する

Word　運転資金： 開業資金のうち、事業を継続していく上で毎月かかる費用のこと。たとえば、仕入代金や原材料費、水道光熱費、交通費などがあります（52ページ）。

設備資金の欄には、開業準備資金（52ページ）の見積額を記入。運転資金※の欄には、仕入代金や必要経費を記入する

売上高、売上原価（仕入高）、必要経費を計算した根拠となる計算式を記入する。客単価、客数も明らかにする（48ページ）

☆ この書類は、ご面談にかかる時間を短縮するために利用させていただきます。
　なお、**本書類はお返しできませんので、あらかじめご了承ください。**
☆ お手数ですが、可能な範囲でご記入いただき、借入申込書に添えてご提出ください。
☆ **この書類に代えて、お客さまご自身が作成された計画書をご提出いただいても結構です。**

6　関連企業（お申込人もしくは法人代表者または配偶者の方がご経営されている企業がある場合にご記入ください。）

関連企業①	企 業 名		関連企業②	企 業 名	
	代 表 者 名			代 表 者 名	
	所 在 地			所 在 地	
	業 種			業 種	

7　お借入の状況（法人の場合、代表者の方のお借入）

お借入先名	お使いみち						お借入残高	年間返済額
	□事業	□住宅	□車	□教育	□カード	□その他	万円	万円
	□事業	□住宅	□車	□教育	□カード	□その他	万円	万円
	□事業	□住宅	□車	□教育	□カード	□その他	万円	万円

8　必要な資金と調達方法

	必要な資金	見積先	金 額	調達の方法	金 額
設備資金	店舗、工場、機械、車両など（内訳）		万円	自己資金	万円
				親、兄弟、知人、友人等からの借入（内訳・返済方法）	万円
				日本政策金融公庫 国民生活事業からの借入	万円
				他の金融機関等からの借入（内訳・返済方法）	万円
運転資金	商品仕入、経費支払資金など（内訳）		万円		
	合　　計		万円	合　　計	万円

資金をどのように調達するかを記入する

9　事業の見通し（月平均）

		創業当初	1年後又は軌道に乗った後（　年　月頃）	売上高、売上原価（仕入高）、経費を計算された根拠をご記入ください。
売 上 高 ①		万円	万円	
売 上 原 価 ②（仕 入 高）		万円	万円	
経費	人件費（注）	万円	万円	
	家 賃	万円	万円	
	支 払 利 息	万円	万円	
	そ の 他	万円	万円	
	合 計 ③	万円	万円	
利 益① － ② － ③		万円	万円	

（注）個人営業の場合、事業主分は含めません。

売上高の算出方法は業種などによって異なる
例）小売業の場合
2,000円（平均単価）×25人／日
×26日＝130万円

10　自由記述欄（アピールポイント、事業を行ううえでの悩み、希望するアドバイス等）

〜〜る計画書など、参考となる資料がございましたら、併せてご提出ください。
（日本政策金融公庫 国民生活事業）

この利益から税金などを差し引いたものが、「事業主が自由にできるお金」（50ページ）

利益計画書を作成して
事業の採算性を確認する

◆ 客数や客単価を予測して、売上目標を立てる

　事業の採算性を客観的に確認するために、利益を生み出す数字について考えてみましょう。客数や客単価を想定した売上や、項目分けした必要経費の目標値を記入したものを「利益計画書」といいます。利益計画書では、具体的な数字をあげて、売上目標や利益目標を明らかにします。

　まずは売上について見ていきましょう。飲食店や小売店（ネットショップも含む）の場合、**売上は「客数×客単価」で計算します。**客数とは、お店に訪れるお客様の数で、一日の平均客数に年間の営業日数をかけることで大ざっぱな数字を出すことができます。この数字に、客単価（お客様一人あたりの平均売上額）をかけて、年間の売上総額を求めるのです。デザイナーやカメラマンなどのフリーランスの場合は、定期的に請け負うことになる仕事と不定期に入ってくる仕事を毎月の売上として予測し、年間の売上総額を想定します。

　ここでのポイントは具体的に落とし込むことと、売上の数字を多く見積もらないこと。売上を多く予想してしまうと、このあとの数字に影響を与え、利益を出すことができなくなるからです。開業すれば想定外のことも起こるので、この時点ではやや控えめな数字を出しておきましょう。

一日の平均客数 50人	×	年間の営業日数 300日	=	客数 15,000人

客数 15,000人	×	客単価 750円	=	売上 1,125万円

Word **人件費**：人を雇うときにかかる費用の総額です。アルバイトやパートに支払う給与だけではなく、事業主側が負担する従業員のための社会保険料や労働保険料などを含むケースもあります。

◆ 売上から仕入を差し引いて、粗利益を求める

　売上の数字が決まったら、客数や客単価、1日の売上をベースに仕入にかかる金額を見積もります。飲食店の場合、仕入は主に商品を作るための原材料費となります。フリーランスなど仕入のかからない事業もあります。

　そして、売上から仕入（見積もった売上の数字を達成する得るために必要な仕入の額）を差し引いて利益を求めます。ここで求められる金額は、「粗利益（または粗利）」といい、事業の採算性を確認する上で最も重要な数字となります。

売上 1,125万円	−	仕入 300万円	=	粗利益 825万円

◆ 粗利益から必要経費を引けば、事業の利益がわかる

　次に、事業を行うために必要な費用である必要経費について考えます。

　必要経費は業種によって異なりますが、電話やインターネットの月額利用料（通信費）、電気ガス水道の公共料金（水道光熱費）、お店ならばアルバイトやパートに支払う給与（人件費※）、店舗や事務所の賃借料（支払家賃）、仕入や打ち合わせのためにかかる交通費（旅費交通費）、広告や宣伝にかかる費用（広告宣伝費）、パソコンソフトや文房具といった消耗品の購入費（消耗品費）、商品の荷づくりや発送にかかる費用（荷造運賃）、取引先の接待にかかる費用（接待交際費）、情報収集のために購入した書籍代（新聞図書費）などがあります。

　粗利益から人件費を含めた必要経費の総額を差し引いて、事業の利益を出します。

一日あたりの人件費 5,000円	×	年間の営業日数 300日	=	人件費 150万円

粗利益 825万円	−	必要経費合計 315万円	=	事業の利益 510万円

粗利益

事業の利益

必要経費
家賃 通信費
水道光熱費 など

コレらを
差し引く

◆ 事業の利益から税金などを差し引く

　所得税、住民税、個人事業税などの税金（202ページ）は、ここで計算された事業の利益をもとに課せられます。

　また、開業の際にお金を借りている場合は、さらにここから返済しなければならないので、事業主の生活費や、翌年の事業の投資のために使えるお金は、事業の利益から税金や借入金の返済額を差し引いた金額となります。

　以上の計算例を利益計画書に盛り込むと、右ページのようになります。

事業の利益 510万円	−	税金など 125万円	=	事業主が自由にできるお金 385万円

開業資金は何年かに分けて回収していく

　飲食店や小売店が店舗をかまえて開業する場合、内装費やエアコン代、看板代、机やテーブル代などが何百万円もかかるケースがあります。これらは開業後、何年にもわたって事業で使用するものなので、一度に全額を計上せずに、何年かに分けて必要経費（減価償却費）とします（減価償却費については148ページ参照）。

　しかし、実際はお店の開業時に何百万円というお金が出ていくことになるので、ここでは「減価償却費」という言葉を使わず、開業資金としてお金を借りることを前提とし、その「借入金」の返済という、現金の移動に焦点を当てて利益計算書などを解説しています。

 必要経費を抑えれば事業の利益はその分だけ増えます。反対に、必要経費を多く計上して事業の利益を抑えると、納める税金が少なくなります。

利益計画書（1 年目）

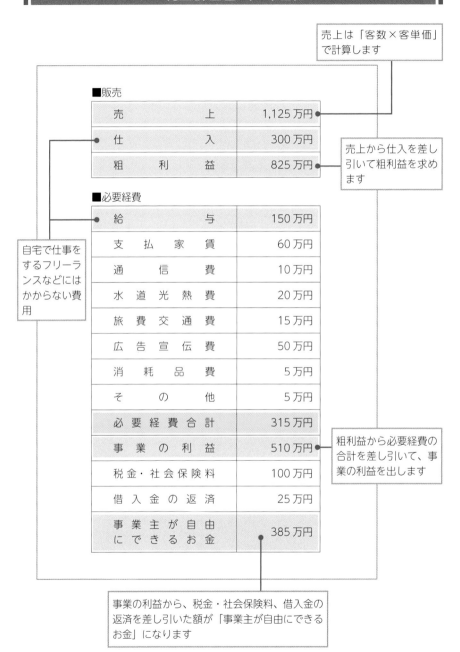

売上は「客数×客単価」で計算します

■販売

売 上		1,125 万円
仕 入		300 万円
粗 利 益		825 万円

売上から仕入を差し引いて粗利益を求めます

■必要経費

給 与	150 万円
支 払 家 賃	60 万円
通 信 費	10 万円
水 道 光 熱 費	20 万円
旅 費 交 通 費	15 万円
広 告 宣 伝 費	50 万円
消 耗 品 費	5 万円
そ の 他	5 万円
必 要 経 費 合 計	315 万円
事 業 の 利 益	510 万円
税 金・社 会 保 険 料	100 万円
借 入 金 の 返 済	25 万円
事 業 主 が 自 由 に で き る お 金	385 万円

自宅で仕事をするフリーランスなどにはかからない費用

粗利益から必要経費の合計を差し引いて、事業の利益を出します

事業の利益から、税金・社会保険料、借入金の返済を差し引いた額が「事業主が自由にできるお金」になります

開業の初期費用と
当面の運転資金

◆ 開業準備資金は、事業開始のときの一時的な費用

　利益計画を含めた事業計画の基本方針が決まったら、資金計画を考えます。開業の資金では、**設備や備品を整えるための初期費用である「開業準備資金」**と、**事業を継続していく上で毎月かかる「運転資金」**と呼ばれるものを考える必要があります。

　開業準備資金がどれくらいかかるかは事業の種類や規模によって異なりますが、店舗をかまえる飲食店の場合は、次のような費用が必要になります。お店を借りるための保証金※や仲介手数料、内装費や外装費、厨房設備を整えるための工事費や購入費、テーブル・イス・食器・レジスターなどの購入費、メニュー・看板・広告物の製作費などです。

　また、自宅で教室を始める場合は、家の改装費などもかかるでしょうし、物件を借りるのであれば保証金や仲介手数料もかかります。

　お店や教室などで開業する場合は、広告費も重要です。お店や教室の存在を知ってもらうには、場合によっては何十万もかかることがあります。

　自宅を拠点にして働くフリーランスやネットビジネスの場合は、開業のための初期費用は比較的少なくて済みますが、パソコンや周辺機器などをそろえるのにそれなりの開業準備資金がかかることもあります。

◆ 運転資金は、事業を運営するために毎月かかる費用

　一方、**運転資金には、家賃のように「毎月支払わなければならない一定の費用」**と、**仕入代金や原材料費のように「状況によって金額が変わる費用」があります。**

　運転資金は毎月の利益から調達することができますが、事業が軌道に乗ってお金が回り出すまでに時間がかかる場合は、数か月分程度の運転資金を開業前に準備しておかなければなりません。

　デザイナーやプログラマーなどは、仕事が長期にわたることがあるため、

Word 　**保証金**：飲食店などの店舗を借りるときに預けるお金で、住宅を借りるときの「敷金」にあたるものです。退去時には原状回復の工事費用にあてられることもあります。

仕事をしてもすぐに報酬が得られるとは限りません。そのような業種の人は、収入が途絶えても困らないように、ある程度の運転資金と、自分の生活費を準備しておく必要があります。

店舗営業の飲食店の場合、「毎月支払わなければならない一定の費用」には、毎月の家賃や水道光熱費、常勤スタッフの給与などがあります

これに対し、「状況によって金額が変わる費用」には、売上に比例して増減する仕入代金や原材料費のようなものがあります。

開業資金の中身

開業準備資金 設備や備品を整えたり、 宣伝をするための初期費用		運転資金 事業を継続していくために 必要な費用	
保証金や仲介手数料	(万円)	家 賃	(万円)
内装費、外装費、改装費	(万円)	水道光熱費	(万円)
食器や パソコンなどの購入費	(万円)	仕入代金や原材料費	(万円)
看板や メニューの製作費	(万円)	アルバイトの給与	(万円)
宣伝のための広告費	(万円)	書籍代や セミナー参加費	(万円)
そ の 他	(万円)	そ の 他	(万円)

パソコン　仲介手数料　食器　内装・外装

家賃　水道光熱費　書籍　スタッフ給与　セミナー

自己資金と生活費について考える

◆ 事業や生活のために使えるお金や財産を知っておく

　開業資金を大まかに見積もったら、事業を始めるための元手となる「自己資金」と、自分の生活を維持するための「生活費」について考えてみましょう。資金計画を立てるには、**自分の預貯金や財産の額を把握し、自分の生活を維持するためにどのくらいのお金がかかるのかを確認しておく必要**があります。とくに会社を辞めて事業を始める場合、生活が立ち行かなくなれば、事業の継続が難しくなるので、現時点での自分の蓄えと、最低限の生活を維持するための費用を正確に知っておかなければなりません。

　開業のための準備期間中や、事業が軌道に乗るまでの間は、収入が一時的に途絶えたり、極端に少なくなることが考えられます。事業の種類や規模にもよりますが、**生活費は数か月分程度用意しておく**ことをおすすめします。開業したあとも何かと出費がかさむものなので、倹約につとめることも忘れずに。

◆ 自己資金が足りなかったらどうする？

　もし、自己資金が足りなければ、融資を検討して開業資金や当面の生活費の不足分を補わなければなりません。

　開業資金の調達先として最初に検討すべきは、金融機関の融資です。**個人事業主にお金を貸してくれる金融機関の第一候補は、比較的金利が安くて融資期間も長い、政府系の日本政策金融公庫、続いて地域に根を張っている民間の地方銀行や信用組合※、信用金庫※などが候補になるでしょう。**民間の金融機関は、担保がない限り融資のハードルは高くなっています。金融機関の融資を受けるには、決められた書式での事業計画書などを提出し、返済計画を具体的な数字で示すことが必要で、担保や保証人が求めら

Word **信用組合と信用金庫**：地域に根ざした商売をしている個人事業主が利用することの多い金融機関。大手の銀行よりも融資に応じてもらえる可能性が高いと考えられています。

れる場合もあります。融資の条件や提出書類は、事業内容やこれまでのキャリアなどによって異なるので、事前に相談しましょう。

　このほかにも、各自治体が金融機関、信用保証協会（中小企業や小規模事業主が融資を受けるに際しその債務を保証する融資機関）と連携して行う融資もあるので、各自治体や金融機関に相談してみることをおすすめします。

自己資金のチェック

退　職　金	（　　　　　　　万　円	）
預　貯　金	（　　　　　　　万　円	）
有　価　証　券	（　　　　　　　万　円	）
そ　の　他	（　　　　　　　万　円	）
合　　　計	（　　　　　　　万　円	）

生活費のチェック

家　　　賃	（　　　　　万　円 ）	×	か月
ローンの返済	（　　　　　万　円 ）	×	か月
各　種　保　険　料	（　　　　　万　円 ）	×	か月
水　道　光　熱　費	（　　　　　万　円 ）	×	か月
通　信　費	（　　　　　万　円 ）	×	か月
食　　　費	（　　　　　万　円 ）	×	か月
教　育　費	（　　　　　万　円 ）	×	か月
服　飾　費	（　　　　　万　円 ）	×	か月
娯　楽　費	（　　　　　万　円 ）	×	か月
その他費用	（　　　　　万　円 ）	×	か月
合　　　計	（　　　　　万　円 ）	×	か月

1年目の資金計画書を作成する

◆ 明らかになるのは、入ってくるお金と出ていくお金

　開業資金を見積もり、自己資金や生活費を確認したら、それらをもとにして資金計画書※を作りましょう。この資金計画書によって、事業の収支はより現実的な数字に近づきます。

　資金計画書で明らかになるのは、開業1年目の収入と支出、つまり**いくらお金が入ってきて、いくらお金が出ていくか**ということです。これらの数字を出すことで、「事業主が自由にできるお金」が決まります。

　事業主は、この自由にできるお金から、自分の生活費を得て、翌年の事業に使うお金を捻出します。ここでもし十分な生活費が得られない場合は、事業計画や資金計画を見直し、仕入や必要経費を抑える工夫や努力をしなければなりません。また、場合によっては、54ページで説明したように銀行などから資金を借りなければならなくなります。ただし、その場合は借入金の返済を資金計画書に盛り込む必要が出てきます。

　ではさっそく、右ページを参考にして資金計画書を作成してみましょう。各項目の金額は、48ページで予測した利益計画書、52ページで予測した開業資金（開業準備資金と運転資金）、54ページで確認した自己資金と生活費がもとになります。

　なお、開業前に用意する運転資金（仕入と必要経費）と生活費は、ここでは仮に3か月分を計上しています（用意すべき運転資金は、事業の内容や規模、事業が本業か副業かによって変わってきます）。

入るお金

出て行くお金

思ったより
出ていく…

Word **資金計画書**：事業計画と資金計画はどちらも同じように大切です。事業計画が完璧でも、資金計画で具体的な数字が明らかになっていないと、事業は成功しません。

資金計画書（1年目）

副業の場合は、本業で得られる給与のなかから、開業後の運転資金を捻出できることもある

売上 －（仕入＋必要経費）

自己資金 －（開業資金＋生活費）
開業資金や生活費の不足分は、銀行などから借り入れる(54ページ)

資金計画書

●自己資金	（　　　　　　万円）
●開業資金	
・開業準備資金	（　　　　　　万円）
・運転資金（3か月分）	（　　　　　　万円）
●生活費（3か月分）	（　　　　　　万円）
○開業資金や生活費の不足分	（　　　　　　万円）
●売上	（　　　　　　万円）
●半年が過ぎたあとの運転資金	
仕入	（
必要経費	（　　　　　　万円）
○事業の利益	（　　　　　　万円）
●税金	（　　　　　　万円）
●社会保険料	（　　　　　　万円）
●借入金の返済	（　　　　　　万円）
○事業主が自由にできるお金	
・4か月目以降の生活費	（　　　　　　万円）
・翌年の事業に使えるお金	（　　　　　　万円）

事業の利益をもとに課せられる税金は、所得税、住民税、個人事業税など（202ページ）

開業資金を借りた場合は、1年目の返済額を計算して記入

国民健康保険と国民年金の1年分の額

事業の利益 －（税金＋社会保険料＋借入金の返済）
事業の利益から、税金と社会保険料、借入金の返済を差し引いたものが、事業主が自由にできるお金となる。4か月後の生活費と、翌年の事業に使えるお金は、ここから捻出する

事業用の預金口座を
開設する

◆ 事業に関するお金の出入りを一つの口座にまとめる

　事業を立ち上げたら、事業のための預金口座を作りましょう。事業用の預金口座を開設することで、"事業のお金"と"プライベートのお金"を区別でき、事業に関するお金の出入りを一つの通帳に記録しておけば、お金の管理がしやすくなります。

　預金口座には、普通預金、当座預金、定期預金などの種類がありますが、個人事業や副業では普通預金を用いるのが一般的です。銀行のATMなどを使って預け入れ、引き出しなどができます。振り込みはインターネットバンキング※を利用するとよいでしょう。

　口座を開設したら、最初に開業資金を入金し、以後、事業に関する入金と出金はすべてこの口座で行います。取引先からの振り込みや現金収入を入金し、事務所の家賃や水道光熱費、従業員の給与などの必要経費をここから振り込めば、預金通帳を見るだけで、大まかな事業の収支を手軽に把握することができます。

　一方、プライベートのお金を管理する個人用口座には、月に一度だけまとまった生活費を入金して、それ以外は事業用の口座とのやりとりを行わないようにしましょう。なお、事業主が自分で使う生活費は、給与ではないので、必要経費にはなりません。

◆ 事業用のクレジットカードを作っておく

　事業用の備品や消耗品などは、オンライン決済で購入することが少なくありません。そんな場合に備えて、個人事業や副業用のクレジットカードを作り、事業にかかわる決済をすべて一枚のカードで済ませるようにしておきましょう。

　また、店頭で決済をした場合はその場ですぐに領

Word **インターネットバンキング**：インターネット経由で受けられる銀行取引のサービス。銀行のWebサイトにアクセスすることで、銀行に足を運ばなくても振り込みや残高照会ができます。

収書がもらえますが、オンライン決済では、メール送付や自分でダウンロードをしなければ領収書が手元に届かないことがあります。事業用のクレジットカードで必要経費の精算をすれば、明細を見るだけで購入状況がわかって便利です。

事業用と個人用を区別する

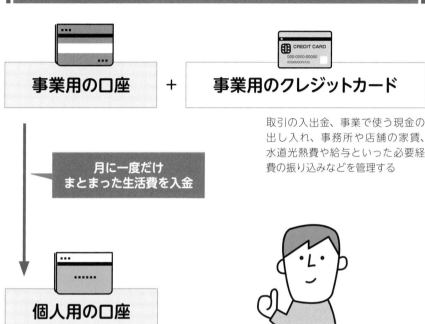

事業用の口座 ＋ **事業用のクレジットカード**

取引の入出金、事業で使う現金の出し入れ、事務所や店舗の家賃、水道光熱費や給与といった必要経費の振り込みなどを管理する

月に一度だけ まとまった生活費を入金

個人用の口座

Check!

屋号つきの銀行口座を作る

　個人事業の口座名義は、個人名のほか、屋号（70ページ）つきにすることもできます。屋号つきの場合、口座名義は「屋号＋個人名」となりますが、屋号名だけでも振り込みは可能。口座名義を屋号にすることで、事業主としての自覚が芽生えて、気持ちが引き締まることでしょう。

　屋号つきの口座を開設する際は、事務所の賃貸契約書や、税務署の収受印のある個人事業の開業届書など、個人事業が開設されたことが証明できる書類が必要になります（確認書類は銀行によって異なります）。

アルバイトを雇い入れて事業をスタートする

◆ 労働契約を結んで、お互いの約束事を明らかにしておく

　飲食店や販売店など、店舗をかまえて商売をするケースでは、事業をスタートする前から従業員を雇い入れて開業の準備をしなければならないこともあります。このような事業にとってアルバイトやパートなどの従業員は、事業を成功させるために欠かせない大事な戦力です。ここでは人を雇うときに必要な労使間の契約、労働保険の手続き、教育、シフトの管理について説明します。

　従業員を雇ったときに最初にするべきことは、事業主と従業員の間で仕事上の約束を交わすことです。従業員が 10 人未満の場合は、就業規則（従業員の労働条件や業務上のルールを定めたもの）を作成して労働基準監督署に届け出る必要はありませんが、**人を一人でも雇ったら、「労働契約（雇用契約）」を結んで、労働条件を明らかにしておく**必要があります。

　労働契約に盛り込むべき内容は、仕事の内容、始業と終業の時刻、残業の有無、休憩時間、休日・休暇、勤務のローテーション、賃金をどのように支払うのか（計算と支払いの方法、締切りと支払いの時期）などです。また、それ以外にも働く上で守るべきルール（業務内容に関する秘密保持や SNS への投稿の禁止など）がある場合は、そのことも明記しておきます。合意した事柄は書面（62 ページ）に残し、雇用主※と従業員で 1 部ずつ保管します。

　労働法では、労働契約を結ぶときに、事業主が契約に盛り込んではならないことも定められています（右ページ）。これらはすべて従業員の立場が悪くならないようにするための取り決めなので、必ず守りましょう。

◆ アルバイトを一人でも雇ったら労災保険に加入する

　従業員を一人でも雇い入れたら、業種や規模にかかわらず、労災保険（150 ページ）に加入しなければなりません。労災保険とは、従業員が仕事中や

 雇用主：人を雇い入れて賃金を支払うことになったら、事業主は「雇用主」になります。これに対して、働く側は「従業員」「労働者」と呼ばれます。

通勤中にケガをした場合、診療費や休んでいる間の給料の補償などを受けることができる制度です。この労災保険は、雇う側が全額を負担しなければなりません。

さらに、アルバイトやパートを31日以上引き続き雇用する見込みがあり、かつ1週間の労働時間が20時間以上ある場合などは、雇用保険（150ページ）への加入も必要になります。ただし、学生（夜間や通信制、定時制を除く）は雇用保険の適用除外となっているので、20時間以上働いていても原則として雇用保険に加入させる必要はありません。

なお、労働保険（労災保険と雇用保険）や、従業員のための社会保険（健康保険と厚生年金保険）については、150ページ以降でくわしく解説します。

事業主が労働契約に盛り込んではいけないこと

1）	従業員が労働契約に違反した場合に違約金を支払わせることや、たとえば「お店の備品を壊したら1万円」などと罰金をあらかじめ決めておくこと
2）	働くことを条件としてお金を前貸しし、毎月の給料から天引きする形で返済させること
3）	社員旅行費などの名目で賃金の一部を強制的に積み立てさせること

労働者名簿、出勤簿、賃金台帳を作成する

　人を雇い入れたら、労働者名簿、出勤簿、賃金台帳を作成し、保管しなければなりません。これらの書類は、給与の計算や支払い、労働保険の加入手続きなどに必要となる大切な情報です。労働者名簿には住所や氏名、生年月日、採用した日など、出勤簿には労働時間（勤務日数と勤務時間）、賃金台帳には従業員一人ひとりの月ごとの支給額、源泉所得税、社会保険料などを正確に記載しましょう。

雇用期間を設ける場合は、その期間を記載。契約更新の有無や条件についても明示する

「雇用契約書」ともいう。口頭での契約も可能だが、できる限り書面で確認することが望ましい

労働契約書

ひといきカフェ（以下、甲）と山田貴子（以下、乙）労働契約を締結する。

始業・終業時刻が定まっている場合は、その時間を記載。残業の有無も明示する

1）雇用内容　　　　パートタイム従業員
　　　　　　　　　（業務内容：キッチン・フロア業務）

2）雇用期間　　　　〇年　〇月　〇日から　〇年　〇月　〇日まで
　　　　　　　　　甲乙に異論がなければ契約は〇か月ごとに自動延長する

3）勤務場所　　　　新宿区西新宿〇丁目〇番地

4）勤務時間　　　　午前10時30分〜午後5時30分まで・残業なし
　　　　　　　　　うち休憩時間：1時間

5）休日　　　　　　水曜日・木曜日、年末年始、夏季休暇

6）賃金　　　　　　時給1,200円（交通費：実費支給）

7）締切日・支払日　毎月20日締め、当月25日支払い
　　　　　　　　　（銀行が休日のときはその前日）

8）支払い方法　　　〇〇銀行〇〇支店の乙の口座へ振り込み

9）保険関係　　　　雇用保険に加入

10）退職に関する事項
　　　本人の都合により退職する場合は、1か月前に申し

時給制・日給制・月給制などの賃金の計算方法を明示

この契約を証するため、本契約書を2通作成し、甲乙双方署名捺印の上、各自その1通を保有する。

〇年　〇月　〇日

　　甲　　　住所　新宿区西新宿〇丁目〇番地
　　　　　　氏名　ひといきカフェ　　　　　　㊞

　　乙　　　住所　世田谷区弦巻〇丁目〇番地
　　　　　　氏名　山田貴子　　　　　　　　　㊞

雇用主と働く側の両者間で確認し、両者が署名捺印して保管

 Point **試用期間を設ける場合**：労働契約書に、試用期間の開始日と終了日、試用期間中の賃金を明記します。アルバイトの試用期間の長さは3〜6か月が一般的です。

◆ スタッフを教育してサービス向上の底上げを図る

　従業員を雇ったときに事業主が最も注意しなければならないのは、アルバイトスタッフの教育です。

　お客様から見れば、アルバイトであっても、従業員の一人です。彼らがお店の理念やコンセプトを正しく理解していないと、お店の印象や評判を落とすことになり、大事なお客様を逃してしまいます。そうならないためには、アルバイトスタッフをていねいに指導して育てるという意識が大切です。接客マニュアルなどを作成し、新人研修を実施するなどして、彼らの意識とスキルを高めていきましょう。

　お店全体のサービスの質も高めるには、事業主である自分が手本を示すことも重要ですが、アルバイトのなかに指導役となるリーダーを置いて、従業員同士で教え合う環境を作ることも有効です。アルバイト一人ひとりがやりがいをもって働くことができれば、アルバイトの定着率が上がって、結果的に採用や新人教育にかかるコストを抑えられるというメリットにもつながることもあります。

◆ 交代制勤務の場合はシフト管理も大切な仕事

　交代制勤務の場合は、シフトの管理も事業主の大切な仕事です。シフトを決めるタイミングは、お店によって異なりますが、**アルバイト側にあらかじめ働きたい曜日や時間帯を提出してもらい、月ごとや週ごとに調整を図る**のが一般的です（採用時に決めたシフトで働き続けるというケースもあります）。

　すべてのスタッフの希望をかなえて過剰な人員でシフトを組んでしまうと人件費が上がり、逆にぎりぎりの人数で対応するとサービスの質が落ちることもあるので、必要な人数を適切に配置するように心がけましょう。

　また、学業を優先しなくてはならない学生や、昼間の時間帯にしか働けない主婦などが中心の場合は、休みや働きたい時間帯が重なって、人手が足りなくなったり、逆に余ってしまうこともあります。シフトに穴が開かないように、ふだんから必要なスタッフを確保しておきましょう。

個人情報の取り扱いに注意する

　個人情報とは、氏名・住所・生年月日・メールアドレス・顔写真など、特定の個人を識別できる情報のことです。もちろんマイナンバー、パスポート番号、免許証番号、基礎年金番号、各種保険証などの公的な番号もここに含まれます。

　これらの情報を取得するときは、**利用目的を特定して本人に伝え、その範囲内で利用する**ことが必要です。たとえば、「商品を発送するため」に取得した顧客情報（住所や氏名）を使って店の宣伝のためのチラシに掲載したり、従業員の氏名を本人に無断で第三者に伝えることは許されません。また、キャンペーンの懸賞品送付のために取得した応募者の個人データは、その目的が終了したら速やかに消去する必要があります。

　情報が漏えいしないように、安全管理を徹底することも大切です。パソコンで管理するときは、電子ファイルにパスワードを設定したり、パソコンにセキュリティ対策ソフトウェアを導入するなどして、不正アクセスを防止するための対策をとりましょう。

「個人情報」とは？

生存する個人に関する情報であって、特定の個人を識別できるもの

例
- 氏名・住所・生年月日・メールアドレス・顔写真など
- マイナンバー、パスポート番号、免許証番号、基礎年金番号、各種保険証などの公的番号など

個人情報を扱う際の基本的なルール

- 「使う目的をきちんと説明する」
- 「目的以外に勝手に使わない」
- 「しっかり保管する」

第3章

◆

事業成功のカギ

ニーズに合った商品と
営業活動で集客する

◆「いかにお客様を集めるか」が成功のカギ

　本章では事業で成功するためのコツを、いろいろな角度から紹介します。具体的なコツの前に、まずは、改めて個人事業のベースとなる商品を見直してみましょう。

　混同しがちな製品と商品については、製品は原材料などを加工して製造されたもの、商品は売買の対象として扱われるものです。また、商品は形のあるもの（モノ）とないもの（サービス）に分けられます。つまり、理髪店でお客様の髪を切ることや塾で問題を解くコツを教えることも、形のない商品と考えることができます。

　そして、どのような内容であれ、事業は商品をお客様に渡し、その対価としてお金を受け取ることで成り立ちます。飲食業などでは店舗に訪れる不特定多数の人達がお客様になるのに対して、カメラマンやライターなどの職種では仕事を発注してくれる特定の企業や個人がお客様（クライアント※）になることが少なくありません。

　いずれにせよ、**すべての事業の成功のカギは「いかにお客様を集めるか」という課題に集約されます。**

◆ 商品の質の良し悪しはお客様が決める

　では、より多くのお客様を集めるにはどうしたらよいのでしょうか。

　集客するためのキーワードの一つは商品の質です。これをラーメン店にたとえると、提供するラーメンの味になります。ラーメンがおいしければ繰り返し来店されるでしょうし、評判となって多くのお客様が足を運んでくれるでしょう。

　ただし、ここで注意したいのが商品の質の良し悪しは人の主観によって判断されるということです。ラーメンの例では自分がいくらおいしいと思っても、人によっては好みでないこともあります。**商品の質を高めるに**

Word **クライアント**：語源は英語の client。元々は広告代理店が広告主を指して使われていましたが、最近はほかの業種でも「お客様」「得意先」という意味で使われています。

は、お客様のことを意識して、そのニーズに合わせることが求められます。

　また、48ページで紹介し様たように事業の売上は「客数×客単価」で計算されます。商品の質とともに事業の成功を左右するのがお客様の数です。一般的にお客様を増やす活動を営業活動といいますが、営業活動はどのような事業にとっても大切で、それはほとんどの企業に営業部があることからもわかります。

　営業活動の内容は多岐に渡りますが、お客様の状況によって、「新規」「紹介」「リピート」に分けられます。また、お客様になりそうな人のことを「見込み客」といいます。営業活動はこれらのバランスが大切で、事業を継続して成長させるには常に見込み客を集め、そのなかから新規を獲得することを意識する必要がありますが、売上の面では紹介やリピートも重要になります。基本的な考え方として、**まずは見込み客を集めて新規のお客様を増やすことを重点的に取り組み、次に紹介とリピートのお客様を増やしていきましょう。**

お客様の考え方と集客のコツ

お客様の区別	新　規	紹　介	リピート
概　　要	商品を購入してくれる新しいお客様	商品を購入したお客様に紹介された別のお客様	一度、商品を購入し、再度、購入してくれるお客様
獲得の方法	新聞や雑誌の広告、チラシ、DM、宣伝イベント、SNSやメルマガなど	・お客様が満足する商品の質 ・お得感のある価格設定 ・ほかにはないオリジナリティ ・素敵な店舗の雰囲気 ・ていねいな対応 ・親切なアフターサービス　など	
ポイント	とくに開業当初は、この「新規」のお客様を集めるための工夫が必要	1人のお客様がほかのお客様に紹介するには、その商品への絶対的な信用が必要	商品の品質はもちろん、商品以外の魅力も大切な要素

商品の対象を設定して
コンセプトをまとめる

◆ コンセプトは定期的に見直そう

　事業で成功するには、その事業の「コンセプト」が大切です。コンセプトは形のないもので、「なんとなくはわかるのだけれど……」と、そこで考えるのをやめてしまう人もいるかもしれません。でも、実際は難しいものではなく、開業の準備で事業計画書（44ページ）を作成したなら、その内容が自分の事業のコンセプトといえます。45ページでは、その要素として6W2Hを紹介していますが、コンセプトでは、なかでも「Whom?」「What?」「How to?」が重要です。**わかりやすくいえば、「誰に、何を、どのように」を明確にしたものがコンセプトとなります。**

　コンセプトは「一度、組み立てたら、それでOK」というわけではなく、骨子は守りつつ、社会の変化に対応して調整していくのが基本です。事業のベースになるものなので、事業計画書を作成していない個人事業主はコンセプトを考え、まとめたコンセプトは定期的に見直すようにしましょう。

◆ 商品を購入してくれる層をしっかりと見極める

　世のなかにはさまざまなジャンルの、多くの事業があり、商品を売るのは簡単なことではありません。大手企業との競合になることも少なくありませんが、同じような商品ではスケールメリット※の点で優位な企業に分があります。たくさんのライバル商品から自分の商品を選んでもらうには、独自の魅力や特徴が必要です。

　集客力の高い商品作りを考える際に、改めて意識したいのは、**自分の事業の対象となる客層を見極める**こと、つまり「誰に」です。

　ビジネスでは「ペルソナ」という言葉がよく使われます。ペルソナとは商品の典型的なお客様の像を指します。「ターゲット」も狙うべきお客様のことですが、ペルソナはさらに絞り込んだものです。最終的には「42歳の女性で結婚15年目。横浜の青葉台在住。中小企業の広報部の正社員。

Word **スケールメリット**：和製英語で、経営や事業、生産など、さまざまな規模の拡大によって生まれる、生産性向上や効率性上昇、知名度向上などの効果のことを指します。

大手企業に勤める夫と13歳の女の子がいる。趣味は英語（TOEIC® 700点）とキャンプ（月に2度程度）。料理も得意……」のようなくらい、細かな設定をするのがペルソナです。そして、絞り込んだお客様の像が「そういう人って多いな」と思えるようであれば、ペルソナの設定の完成です。

お客様の像をはっきりさせれば、そのお客様に「何を」「どのように」も見つかってきます。

コンセプトを考える際には、ペルソナをしっかりと設定しましょう。

ペルソナとは？

より深く詳細にお客様を設定しよう！

年齢は？
性別は？
趣味は？
悩みは？
居住地は？
何に関心がある？
どんな価値観？
職業や役職は？
家族構成は？

Check! 企業には実現しにくいところにチャンスがある

「イノベーションのジレンマ」という経済用語があります。これは新しい技術などで新商品を開発できるが、それをすると今の商品が売れなくなるので、その新しい商品を取り入れることができない状況のことです。これは大きな企業が抱えがちな問題です。反対から見れば個人事業主にはビジネスチャンスとなる「ニッチ（すき間）」があるということです。商品の対象をしっかりと見極めて、そのチャンスをつかみましょう。

事業の名前を決めたら 早めに名刺を作る

◆ 屋号はイメージがつかめるような、おぼえやすい名前に

　店舗の名前やフリーランスとしての活動名も事業の成否を左右する要素の一つです。これを「屋号」といいます。会社の場合の会社名のことです。個人事業の場合、屋号はつけても、つけなくてもよいことになっています。つけ方についてもルールはなく、好きな名前を自由につけてかまいません。「名は体を表す」という言葉があるように、**屋号は事業所の顔になるため、ひと目で事業の種類やイメージがつかめるような、おぼえやすい名前がよいでしょう。**屋号をつけるとき、屋号と同じ名前が、すでに会社名や商品名として存在している場合は、系列会社やグループ店のように混同されてしまう危険があり、訴えられるケースもあるので注意が必要です。

　なお、個人事業を始めるときに必ず提出しなければならない「個人事業の開業・廃業等届出書」（116ページ）には、個人事業主の氏名とは別に、屋号を記入する欄があります。

◆ 名刺やショップカードは早めに用意する

　事業名（屋号）を決めたら名刺を早めに用意しましょう。営業活動は開業前から始まっています。個人事業主の名刺を開業前に作成し、知人や新しい取引先の人達に渡しておけば、有効な宣伝になります。

　名刺には、お店や事務所の名称（屋号）、業種、氏名、住所と郵便番号、電話番号、メールアドレス、ホームページのURL、SNSのアカウントなどを明記します。個人事業主が名刺に肩書きをつける場合は、従業員がいなくても「代表」「店長」などとし、フリーランスは「カメラマン」など、職業を表す言葉を使うのが一般的です。キャッチコピーを記載してもよく、裏面を使って事業内容やこだわりを載せる

Point 　**屋号を変更したい場合はどうする？**：届出は不要です。確定申告書（232ページ）の所定の欄に新しい屋号を記載すれば、屋号を変更したことになります。

と、さらに有効な宣伝ツールとなります。

　店舗をもつ場合は、名刺と同じ大きさのショップカードも準備するとよいでしょう。お店の名前を大きく印刷し、お店のコンセプトに合ったデザインで製作すると、インパクトが増して販売促進に効果的です。お店の地図やSNSのアカウントの掲載は必須でしょう。

名刺を作るときのポイント

わかりやすい
屋号を入れる

仕事内容や実績を表す
ビジュアルを載せる

SNSアカウントを
載せる

QRコードを載せて
相手の手間を省く

イラスト・マンガ太郎

新　星　太　郎
しんせいたろう

〒110-0000
東京都台東区台東〇-〇
090-1234-5678
メール：comic@〇〇〇〇
X(旧Twitter) ID：@〇〇〇〇
URL：http://www.〇〇〇.com

QR
コード

Web
ポスター
キャラクター

開業日が近づいたらあいさつ状を送ろう

　人とのつながりは、事業を成功させるための大きな武器になります。開業日が近づいてきたら、取引先やお世話になった人に、改めてあいさつ状を送りましょう。直筆でひと言加えたり、メールであっても相手だけに伝わる具体的な事柄を書き添えると、開業に向けての意気込みが伝わります。会社員から個人事業主に働き方を変えた人は、以前の職場にもしっかりと開業のあいさつをすること。それが次のビジネスチャンスにつながることもあります。

自分の事業の
ホームページを作成する

◆ ホームページには自分の事業への思いも掲載する

　現在、インターネットはより多くのお客様を集めるのに役立つ重要な
ツールとなっています。自分の事業のホームページ（HP）があると、い
つでも、その情報が公開されていることになり、その存在を知らなかった
層にまで認知してもらえる可能性が生まれます。また、信用の獲得に役立
つのも HP の魅力の一つで、初めて仕事を依頼する場合の「この事業主は
信用できるのか」という不安が、HP を確認することによって解消される
ことも少なくありません。

　HP にはこれまでの実績をはじめとしたプロフィールを掲載するのが基
本です。それに加えて、集客やお客様からの信用といった HP の効果を十
分に得るには、コンセプトをしっかりと反映した事業への思いや商品への
思い入れも掲載することもポイントです。

　また、おすすめの商品やアピールポイントなどの伝えたいものはトップ
ページに配置するなどして、しっかり見せることも大切です。

　なお、HP はアクセス数が多ければ多いほど、効果が高まります。とく
にネットビジネスでは重要です。自分の商品をしっかりと見せることは大
切ですが、そればかりではなかなかアクセス数は増えません。**ユーザーの
興味を引きつけ、悩みや疑問を解決し、ニーズを満たすような良質なコン
テンツをめざしましょう。**

　基本的に HP でアクセスが増えるのは、コンテンツが充実してから（掲
載内容が増えてから）です。「継続は力なり」という発想で続けることも
大切です。

◆ HP アドレスで、その事業主の信用を判断する人もいる

　HP を作る方法としては、ソフトを使って自分で作成する方法と専門の
業者に依頼するなどの自分以外の人に作成してもらう方法があります。

Word　ドメイン：HP を識別するためのもので、サーバーをインターネット上の土地と考えると、ド
メインはインターネット上の住所になります。

　HP の作成は、まずサーバーを借りるところから始めます。サーバーは無料のものと有料のものがあり、**有料のものは、動作が快適であることに加えて独自の「ドメイン※」を取得できるというメリットがあります。**

　HP アドレスは通常、「https://www.shin-sei.co.jp」のように表記されますが、ドメインを取得すると、この「shin-sei」のように自分の事業名をアドレスに組み込むことができます。このドメインの存在は大きく、そのアドレスによって信用できるかどうかを判断する人もいます。

ホームページの自作と外注の比較

制作方法	自作	外注
作り方	サーバーと契約して、必要に応じてドメインを取得。HP 制作ソフトを使用すればプログラミングの知識がなくても作成できる	インターネットで検索すると、いろいろなスタイルのHP制作業者（フリーランスも多い）を見つけることができる
メリット	・制作コストを抑えられる ・手軽にカスタマイズできる ・好きなタイミングで更新ができる	・制作の手間がかからない ・オリジナリティのあるHPを作成できる ・SEO対策を考慮してくれることもある ・不満や疑問をすぐに解消してもらえる
デメリット	・手間がかかる ・完成度は外注したほうが高い	・制作コストがかかる

SEO 対策は無理のない範囲で行う

　よく耳にする SEO 対策とは、アクセスを増やすためのもので、Google などの検索結果で上位表示させる技術を指します。具体的には一般のユーザーがよく検索している単語を調べ、その単語を一定数以上、記事に入れる方法などがあります。そのほかにもいろいろな方法があり、SEO 対策を専門とする業者もあります。ただ、SEO 対策にこだわりすぎると、本来の伝えたい情報を伝えにくくなることもあるので無理のない範囲で行う姿勢も大切です。

SNS や YouTube を活用して効率よく集客する

◆ SNS や YouTube を活用して相乗効果を狙う

　個人事業主にとって IT 関連で活用したいのはホームページ（HP）だけではありません。SNS や YouTube も併用することで、集客などの事業の成功に必要な効果を、より高く発揮することができます。

　SNS は Social Networking Service（ソーシャル・ネットワーキング・サービス）の略で、インターネットを介して人間関係を構築できるスマホやパソコン用のサービスの総称です。Facebook、X（旧 Twitter）、Instagram、LINE、TikTok が人気が高くなっています。

　また、最近は SNS に加えて YouTube が宣伝に使われるケースが多くなり、とくに飲食店などで積極的に利用されています。**YouTube を使うメリットは、一度動画を作成してしまえば、掲載料などのランニングコストがかからないこと。公開エリアが限定されないため、世界中の人に商品やサービスの魅力をアピールできることなどです。**

　YouTube よりも尺の短い TikTok も、お店の雰囲気やサービスを伝えるための映像投稿プラットフォームとして、広く活用されています。TikTok のユーザーは 10 〜 20 代の若者が多いので、お店で働くスタッフを集めるための募集ツールとしても利用価値があります。

◆ バズることができれば大きな宣伝になる

　「バズる※」という言葉を聞いたことがあるでしょうか。

　これは特定の単語や物事がインターネット上で爆発的に多くの人に取り上げられることを意味し、SNS で急に話題となったときによく用いられます。「バズる」と一気に多くの人に認知されるため、大きな宣伝となります。最近は、それを利用したマーケティング手法の「バズマーケティング」という言葉もあるほどです。「バズる」とまではいかなくても、**SNS で注目を集めるには、流行に乗って共感性の高い投稿をすることがポイントの**

Word　バズる：英語の「Buzz（バズ）」が語源とされています。Buzz には「ハチがぶんぶんと飛び回る音」「一つの場所に集まって噂話でざわざわする」といった意味があります。

一つです。また、事業に関する専門的な知識のなかからのユーザーにとっての有益な情報も、シェアされやすいコンテンツとなります。

　SNSのなかでも、X（旧Twitter）はリアルタイムでフランクな情報、Facebookはビジネス寄りの情報が好まれるなど、それぞれに特徴があります。それに合わせて投稿内容を変えることも注目を集めるのに役立ちます。

代表的なＳＮＳの特徴

	特　徴	個人事業主が意識したいポイント
LINE （ライン）	幅広い年齢層に利用されているコミュニケーションツール	「メッセージ配信」など個人事業主が利用したいサービスもある
X（旧Twitter） （エックス）	短い文章や写真、映像で情報を発信するサービスで、若い世代の利用者が多い	リアルタイム性が高く、ＳＮＳのなかでも拡散力が強い
Instagram （インスタグラム）	ヴィジュアル（写真、映像）の投稿を重視したサービスで、若い世代の利用者が多い	リアルタイム性が高く、ＳＮＳのなかでも拡散力が強い
Facebook （フェイスブック）	上記よりもフォーマルな位置づけのSNSで、30代以上の利用者が多い	ユーザーは基本的には実名登録。情報源として信用度が高いので、信頼の獲得に向いている
TikTok （ティックトック）	尺（15秒〜3分）が短いので、伝えたいことが簡潔に伝えられる。10〜20代の若者の利用者が多い	商品やサービスの宣伝だけではなく、スタッフの募集にも使える

SNS 依存にも要注意

　SNSの運用は意外と時間をとられます。商品について投稿してくれている消費者に「いいね」をしたり、SNS映えする写真を用意したり、ユーザーのコメントに返信したり……。やがては面倒になって放置してしまう人がいる一方で、もっとたくさんの「いいね」がほしくなって、そればかりに夢中になってしまう人もいます（SNS依存やSNS中毒という言葉もあります）。個人事業主は集客の一環として行うことを忘れないように気をつけましょう。

一流のブランド品のように
自分の事業の価値を高める

◆ スターバックスコーヒーはブランディングの成功例

　事業を成功させるためには「ブランディング」も意識したいキーワードです。ブランディングは、「ブランド」を形作るためのさまざまな活動を表す言葉です。商品のデザインやシンボルマーク、名称、お店の雰囲気など、さまざまな要素が組み合わさってブランドは作られます。たとえばスターバックスコーヒーがブランディングの成功例です。スターバックスコーヒーは「お洒落で美味しいコーヒーを飲むことができるお店」というブランドイメージが広く浸透しています。そのブランドイメージがあるので、お客様は信用して利用することができ、結果としてスターバックスコーヒーの店舗は多くのお客様で賑わっています。

　とくに飲食業はSNSや口コミサイトの評価争いなどにより、ライバル店との競合が激しくなっています。個人事業主の店舗であっても、しっかりとブランディングをしてライバル店と差別化できると、それは集客への大きな武器となります。

◆ 店舗の場所や外装もブランディングの対象となる

　ブランディングはいろいろな手法があります。ここでは、シンプルな3つのステップでブランディングしていく方法を紹介します。そのステップは次のとおりです。

　①ブランドヴィジョンを掲げる
　②ブランドヴィジョンを具体化する
　③認識できるアウトプットを作成する

　①のヴィジョンは、理想像という意味です。「このようなものをめざしている」という指針で、自分の事業のコンセプトがしっかりできていれば、それがブランドヴィジョンになるといえるでしょう。

　②は、ブランドヴィジョンを実際の商品や広告などに反映させるために

Word **タッチポイント**：商品を提供する側とお客様との接点のこと。店舗や販売スタッフ、商品、さらには広告など、幅広い要素が該当します。

具体的な戦略を考えるステップです。ここまでは考えをまとめる概念的なステップなので、まずは予算や事物はあまり意識せずに、いろいろな角度で考えましょう。

③は具体化したブランドヴィジョンに応じて、実際にアウトプット（生産品）を作るステップです。

ブランディングで注意したいのが、**ブランディングは自分の事業の「タッチポイント※」のすべてについて考える必要がある**ということです。飲食業の場合は店舗がある場所や外装、内装も含まれます。とくに店舗は一度かまえると、容易に移転できないため、物件探しの段階からブランディングを意識する必要があります。

ブランディングの対象

ブランディングの対象は多岐に渡ります。看板などの形のあるものも、香りなどの形のないものも対象となります

事業を象徴的に表すもの
・名称　・ロゴマーク
・キャッチコピー　・キャラクター　など

形がないもの
・香り
・音楽（入店時のチャイムなど）
・接客の姿勢
・商品の価格　など

形があるもの
・商品の内容
・看板
・食器
・パッケージ　など

Check!

フリーランスもブランディングを

　ブランディングをしたほうがよいのは飲食業や小売業だけではありません。カメラマンやデザイナーなどのフリーランスの職種でもブランディングは重要です。ビジネスの世界では「セルフブランディング」という言葉があり、これは自分を一つの商品と考え、お客様（クライアント）に対する自分の価値を高めるための戦略を意味します。たとえば、お客様が「そのカメラマンならではの美しい写真」と思えば、それはセルフブランディングに成功しているといえます。

商品を購入してもらうために
作品集で信用を勝ち取る

◆ 自分の作品をまとめた作品集で信用を勝ち取る

66ページではお客様は「新規」「紹介」「継続（リピート）」という3つのタイプに分けられることを紹介しました。このなかでとくに獲得が難しいのが新規のお客様です。お客様は「このラーメン屋のラーメンは安くておいしい」などと信用した上で商品を購入します（ラーメンを注文します）。新規はその商品を購入したことがないわけですから、紹介や継続のような知人や自分の経験にもとづく信用がなく、「このラーメン屋のラーメンは本当においしいのだろうか」と購入前に不安を感じることも少なくありません。これが新規のお客様の獲得が難しい理由です。とくにデザイナーやイラストレーターのようなフリーランスは、ラーメン屋のような飲食業、あるいは小売業に比べて、一つの商品の価格（客単価）が高い傾向があるので、事業主にはより信用を得る工夫が求められます。

そのために役立つものの一つが自分のホームページ（72ページ）で、それに加えて準備しておきたいのが「ポートフォリオ」です。ポートフォリオにはいろいろな意味がありますが、フリーランスが活躍するクリエイティブ系の業界では自分の過去の作品や実績をまとめた作品集を指します。実際の作品は何よりも信用するための説得力があります。

◆ ホウレンソウ（報告・連絡・相談）を大切に

信用は新規だけではなく、紹介や継続のお客様にも大切なキーワードです。お客様にしてみると、実は仕事を依頼するのは誰でもよいということは少なくありません。きちんとした仕事をしてもらえれば誰でもよいのです。信用を損ねるようなことがあれば、ほかの人材に仕事を依頼してしまうでしょう。

信用を得るためのポイントの一つは、よく耳にする**ホウレンソウ（報告・連絡・相談）**をこまめにすることです。とくに納期が遅れそうな悪い情報

Word **返報性の法則**：相手から受けた好意などに対して「お返しをしなくては申しわけない」と感じる心理作用のこと。「返報性の原理」ともいいます。

は、早めに伝えるようにします。

　また、そもそも納期についてはスケジュールに余裕をもたせるのが基本です。余裕をもたせておけば、体調が悪くて業務をできない日があってもカバーすることができます。

　もう一つ、事業は何かを与えたら何かを受け取るというギブ＆テイクの精神が大切ですが、**テイク以上にギブに重きを置くことも信用の獲得につながります**。人間の心理作用には「何かをしてもらったらお返しをしたくなる」という「返報性の法則※」があるとされています。ふだんから「ギブ」をしていると、困ったときに「テイク」の恵みがあるでしょう。

ポートフォリオ作成のポイント

そのまま渡すこともあるので、名刺と同じように連絡先を記載しておくとよい

ポートフォリオ自体を作品と考え、コンセプトを反映しつつ魅力的な仕上がりをめざす

作品だけではなく、スキルなどの自分のPRポイントも明記するとよい

以前は、出力したものを冊子のようにまとめたものが主流だったが、最近はPDFにまとめてお客様に送付するようなケースも少なくない

コンセプトごとなどに分けると、仕事へのこだわりが感じられる

苦手な業務は
「できる業者」に依頼する

◆ 営業活動をエージェントに任せてもよい

　会社員から個人事業主へと働き方を変えた人にとって、集客は最初の
ハードルになることが少なくありません。よくあるのが、コンサルタント
やエンジニアなどの専門性の高い人材が、その専門性を活かそうと独立し
たものの、営業活動は苦手で、なかなかお客様を集められないというケー
スです。また、営業活動に労力を要してしまい、本業まで手が回らなくな
り、思ったように収入を得られないというケースもよく見られます。

　そのような問題の解決に役立つのが、個人事業主の営業活動を代行して
くれるエージェント[※]です。**エージェントはお客様（クライアント）と個
人事業主を橋渡ししてくれるマッチングのプロフェッショナル**で、お客様
が支払う金額から手数料を引いた額が個人事業主に支払われます。つまり、
個人事業主は基本的には登録料などを払う必要はないということです。

　エージェントを利用できる業種については、エンジニアやデザイナーな
どがメインですが、最近は幅が広がっていて、ディレクターやライター、
翻訳家などでも利用する個人事業主が増えています。

　利用したい場合は、まずはインターネットで自分に合ったエージェント
を探して登録します。エージェントはお客様からプロジェクトの概要や求
める仕事のクオリティをヒアリングして、登録している個人事業主を探し
ます。そして、自分に合っている案件があれば、紹介してもらえることに
なります。

◆ クラウドソーシングで案件を見つける

　ライターやデザイナー、プログラマー、編集者、翻訳家などの職種の個
人事業主は、クラウドソーシングを利用して仕事を得るという方法もあり
ます。

　クラウドソーシングは、「群衆」を意味する「クラウド」と、「調達」を

Word **エージェント**：代理人や代理店、あるいは仲介業者という意味。いろいろな業種で使用される
言葉で、業種によってニュアンスが異なることもあります。

意味する「ソーシング」が合わさった言葉で、インターネット上で業務を委託する人を調達することを表します。「ランサーズ」「クラウドワークス」「クラウディア」といったクラウドソーシングサイトが有名です。

　クラウドソーシングでは、ホームページで登録者向けに案件が提示されているので、自分に合うものがあれば、自分で募集することになります。そして、お客様が応募された候補者のなかから自分を選ぶと、それで仕事を得られるということになります。クラウドソーシングは特定のスキルをもった人が副業を探すのにも有効です。

クラウドソーシングとは

特　徴	●時給ではなく、納品する成果物によって単価が発生する場合が多い ●一度で完結するタスク形式、継続して仕事が提供されるプロジェクト形式など業務の種類はさまざま
メリット	●営業活動の手間が少なくて済む ●オンラインで完結するので交通の便などのまわりの環境に左右されない ●自由に場所や時間を選んで仕事を進められる
デメリット	●報酬が安い案件が少なくない ●お客様との意思疎通が難しく、仕事が二度手間になることもある

Check!

Uber Eats に宅配を任せるという発想

　個人事業主には、苦手なこと、できないことは他の人にお願いするという発想も大切です。たとえば、その一つに、飲食業の「Uber Eats（ウーバーイーツ）」があります。こちらは自分の店舗では宅配サービスを行っていない飲食店でも宅配が可能になるサービスで、店舗側は宅配を Uber Eats に依頼し、実際の宅配は Uber Eats が契約している宅配専門のスタッフが行うことになります。店舗側にしてみると、手数料を支払うことになりますが、配達のために人を雇わなくても済みます。最近では手数料がかかるぶん、料金を少し割高にしている店舗も多くなっています。また、Uber Eats は専用のホームページが用意されていて、それがお店側の広告になるなどのメリットも小さくはありません。

自分が「先生」になって
専門的なスキルを売る

◆ 自分のスキルをお金に換える

　前節で紹介したクラウドソーシングは専門的なスキルを要する案件から自分ができる仕事を請け負うものが中心でした。

　最近では、専門的なスキルを自分から売り込めるサイトもあります。スキルを教える人と学びたい人を結びつける「ストアカ」などです。**自分が「先生」として登録し、特定のスキルを教える講座を開設し、生徒から受講料を受け取る**という流れです。

　講師や教室の先生のような、人に教えることを事業としている人にとって、このようなサイトは生徒を集める集客ツールの一つとして活用できます。教える場所を選ばないオンラインでの講座も開講できるため、全国の人をお客様にできるのも人気です。

　このようなサイトは、ライターやカメラマン、プログラマーなどの収入増にもつながります。文章や撮影、プログラミングのスキルを教えることで受講料を得るという方法です。

　人に教えて収入を得ることは、会社員をしながら個人事業主として副業を行う人にも向いています。Excel のスキルアップや SNS の文章術、絵の描き方などは人気の講座です。

　インターネットが生活に入り込んでいる現在、このような副収入を得られるためのサイトは、個人事業主の生活を安定させます。

◆ 自分の作品をお金に換える

　お客様（クライアント）以外から仕事を得る方法は、**自分の作品を不特定多数の人に購入してもらう**ケースもあります。

　カメラマンが撮った写真やイラストレーターが描いたイラストは、ニーズが多いコンテンツ（素材）です。多くの企業がチラシやホームページ、SNS を制作するときに、これらの素材を活用しています。「PIXTA（ピク

Word **Zoom（ズーム）**：ネットを利用したビデオ通話サービス。Web 会議のツールとして利用されるほか、オンラインレッスンでも活用されています。

スタ）」や「イラスト AC」などのサイトでは、写真素材やイラスト素材を提供し、多くの企業が利用しています。

　音楽の素材もニーズが高く、購入者が増えています。YouTube を使った映像コンテンツを提供する企業が増えているからです。「Audiostock（オーディオストック）」は多くの企業が楽曲を購入しています。

　少し毛色が異なりますが、ハンドメイドの雑貨も人気です。こちらの購入者は、企業ではなく個人が中心になっています。世界に一つしかない、オリジナルのものをほしいというニーズは普遍的なものです。「minne（ミンネ）」というサイトは、ハンドメイドの世界では有名で、人気出品者は多くのファンを抱えて収入を得ています。

自分の特技や経験で収入を得る方法

特技や経験	活用方法	該当するサービス
作曲ができる	自分で作った楽曲を売る、使用ライセンスを売る	TuneCore Japan（チューンコアジャパン） Audiostock（オーディオストック）
雑貨をハンドメイドできる	自分で作った雑貨を売る	minne（ミンネ）
イラストを描ける	自分が描いたイラストの使用ライセンスを売る	イラスト AC PIXTA（ピクスタ）
	スタンプ（テキストメッセージに挿入できるイラスト）として販売する	LINE（ライン） クリエイターズマーケット
きれいな写真を撮れる	自分が撮影した写真を売る	Snapmart（スナップマート）
	自分が撮影した写真の使用ライセンスを売る	PIXTA（ピクスタ） 写真 AC

本業にも副業にも最適なオンラインレッスン

　最近は「Zoom（ズーム）※」や「Microsoft Teams」などのビデオ通話サービスを利用したオンラインレッスンも人気です。英会話が広く知られていますが、ヨガ教室や学習塾などの幅広いジャンルで導入されています。

費用対効果を考えて
広告・宣伝活動をする

◆ まずは事業の存在を知ってもらう

事業を始めた当初は誰もあなたの事業の存在を知らないので、宣伝や営業活動を行って集客をする必要があります。

これまで紹介してきたホームページ（72ページ）やSNS（74ページ）の活用、知り合いや営業先への名刺（70ページ）・ポートフォリオ（78ページ）の配布などは、存在を知ってもらうための宣伝活動の一環です。

個人事業の場合は、これらのような無料や少額でできる集客から始めることが基本です。クチコミサイトの「食べログ」や「エキテン※」のような無料登録サービスがあるようなサイトへの登録も、効果的な集客手段の一つになるでしょう。

次に検討するのは有料の広告です。有料広告を行うときに最も大切なのは費用対効果ですが、最初から広告の効果を見極めるのは難しいので、開業時は少額でできる広告から試していくのがおすすめです。FacebookやX（旧Twitter）などのSNSや、GoogleやYahoo!の検索結果ページには、比較的低予算で掲載できる広告があるので、利用してみるのもよいでしょう。

このような**ネット広告は、クリックされてリンク先のページにジャンプした時点で広告費が発生する「クリック課金型」が一般的**です。たとえば5,000円分クリックされたら広告を打ち切ることもできます。SNSのそれぞれの特徴（74ページ）を考慮に入れて、広告出稿を検討してみましょう。

このような広告には費用対効果を計測できるツールが提供され、広告の文面の効果を知ることもできるため、訴求力の高い表現などのノウハウの蓄積にも役立ちます。

Word **エキテン**：店舗のクチコミサイト。マッサージ店やヘアサロン、学習塾、雑貨店、飲食店などのジャンルがあります。

◆ チラシやフリーペーパー広告を活用する

飲食業や小売業、教室などの場合、チラシを使った広告も効果的です。チラシの配布を自分で行えば、チラシ作成代と印刷代しかかからないので、費用を安く抑えることができます。

地域のフリーペーパーに広告を載せるケースもあるでしょう。これらは特定の地域をターゲットにしている店舗ならではの施策ですが、地域の人にお店の存在を認知してもらうには効果的です。

チラシの作成で大切なのは、「ターゲットの明確化」「お客様のメリットの訴求」「一押し商品の特徴を大きく載せる」という3つのポイントです。ターゲットはこれまで繰り返し紹介しているので、それをベースにします。

お客様のメリットとは、商品を購入することで得られるお客様の利益、つまり「かわいい雑貨を部屋に置いて癒されたい」「この価格でお腹いっぱいお肉を食べたい」というような欲望の実現です。

お客様の気持ち、お客様のメリットについて考えることは、事業を成功させるために欠かせません。

チラシ広告作成のポイント

肉酒場 新星
3月30日
グランドオープン

「肉好き」という
ターゲットを明確に

食べ放題が伝わる
ビジュアル

お客様のメリット
を大きく

お腹いっぱい！
お肉 食べ放題 2,980円

わかりやすい地図

肉酒場 新星 03-1234-5678
台東区台東○-○-○

看板で店内に誘導して
POP広告で関心を引きつける

◆ 看板は凝りすぎると効果が薄れてしまうこともある

　初めて訪れる場所で食事する店舗を決めるとき、目に入った店舗の看板がきっかけになることは少なくないでしょう。とくに店舗をかまえる飲食業、小売業、サービス業にとって、看板はお店の特徴をアピールする絶好の宣伝ツールです。

　看板は店名を伝えるだけではなく、なんのお店か、どんなコンセプトかを紹介する役目もあります。情報を詰め込みすぎると店舗のコンセプトがわかりづらくなったり、デザインに凝りすぎると店名が読みづらくなることもあるので注意が必要です。

　看板を作成する際に意識したいのは、お客様が知りたい情報をしっかりと載せることです。当たり前のことのようですが、軽視されているケースもあるようです。たとえばイタリアの料理がメインであれば、見やすい文字で「イタリアン」などと入れると、お客様はすぐに認識することができます。それが「Trattoria（トラットリア／イタリア語で大衆的なレストランという意味）」だと、イメージがわかずに「イタリアンを食べたい」というお客様を逃してしまう可能性もあります。

　また、看板は設置する位置も重要です。**通行人の目線で見やすさなどを確認しましょう。**見えにくい場所に設置すると店舗の存在を知ってもらえません。ポイントは店舗の外観のバランスで設置するのではなく、目につきやすい場所を見定めることです。

◆ POP広告でお客様の興味や関心を引き寄せる

　「POP（ポップ）広告」とは、Point Of Purchase advertising（購買時点広告）の略語で、主に飲食業や小売業の店舗の店頭プロモーションとして展開される宣伝ツールのことです。具体的には、商品説明のカードや値札、特売品や新製品を知らせる棚札やのぼり、店頭や店内に掲示されるポスターや

Point お店の様子がわかりにくい地下や2階などにある飲食店の場合、看板に店内の写真などを載せておくと、お客様が安心して入店しやすくなります。

パネルなどがあげられます。

　POP広告の目的は販売員に代わって商品やサービスの説明をし、お客様の興味や関心を引きつけることです。看板と同様、上手に活用すると売上を伸ばすことができます。

　こちらのポイントは、注目してもらいたいことを短い言葉で簡潔に伝えたり、写真やイラストを配して目立たせることです。手書きによる手作り感のあるPOP広告は、親しみやすさをアピールし、店主の思いを伝えるのに効果的です。

主な看板の種類

種類	概要
ポール看板	ポール状の脚をもつ、背の高い看板。道路脇などに設置され、遠くからでもお店の場所を知ることができる
テント看板	日よけや雨よけ役割も果たす、軒下に設置された看板。店名やロゴなどをデザイン的にあしらうことができる
欄間（らんま）看板	店舗の入口上部に取りつける横長の看板。比較的面積が大きいので、店舗のイメージや雰囲気を効果的に伝えられる
スタンド看板	お店の前に設置する移動式の看板。おすすめのメニューやセール情報などを掲載することも多い
案内看板	通りに面した場所などに設置して、お客様を誘導するための看板。通行人の目に触れることが大きな目的
ウインドウサイン	入口やガラス窓に貼りつける看板。店名のほか、営業時間や休業日などをあしらうのが一般的
立体看板	ひときわ目立つ、視覚効果の高い看板。キャラクターなどをモチーフにしたものも多い

設置場所や取りつけにも細心の注意を払う

　看板の設置場所には規則があります。看板やのぼり、メニューなどを、道路に突き出るような形で設置する際は、各都道府県の条例によって道路の専有許可や使用許可を取得しなければならない場合もあります。また、設置方法にも注意が必要です。強風にあおられて看板が倒れたり、落下すると、通行人にケガを負わせてしまうおそれもあるので、取りつけにも細心の注意を払いましょう。

商品はコンセプトに合わせ
メニューブックにもこだわる

◆ メニューは多いほうがよいとは限らない

　飲食店や小売店、マッサージ店などにとって、どのような商品やサービスを提供するかは重要なポイントです。「選択肢が多いほうがお客様は喜ぶ」と思いがちですが、「選択肢の数が多すぎると選べない」といわれています。また、メニューをあまりに多くすると、提供するために材料や在庫を確保しなければならず、仕入に多くの費用を要することになります。

　ここでは飲食業のメニュー作りを例に考えてみましょう。まず、ベースとなるのが、メニューがその店舗のコンセプトに沿っているかということです。「新鮮な海産物を提供する海鮮居酒屋」がコンセプトなのに、魚料理よりも肉料理が多いとお客様は違和感をもつことになります。

　料理の価格設定も重要な要素で、それについては「フロントエンド商品」と「バックエンド商品」を意識することがポイントになります。フロントエンド商品はお客様にとってお得な利幅の小さい商品、バックエンド商品はお店にとってお得な利幅の大きい商品です。フロントエンド商品で集客をして、バックエンド商品で利益を上げるというのが基本的な考え方です。

◆ メニューブックも大切な要素

　メニューブック（お品書き）もしっかりとこだわりをもちましょう。

　メニューブックは内装・外装と同じく、お店のブランドイメージを構成する要素です。お金をかければよいものができるとは限りませんし、ポイントを押さえれば自作でもよいものに仕上げられます。自作する場合は、簡単にメニューブックを作成できる無料アプリを利用するとよいでしょう。

　メニューブックにはメニュー（料理）の名前と価格を入れるのが基本です。馴染みがない料理（イメージがつかみにくい料理）は、どのような料理かがわかる簡単な説明を入れ、おすすめの食べ方がある場合は、その方法を入れると、お客様の信用を得られるメニューブックになります。

Point **飲食店のメニューを決める**：メニューは固定ではなく、食の流行や仕入状況に応じて調整していくのが、お客様の心をつかむポイントになります。

メニューブック作成のポイント

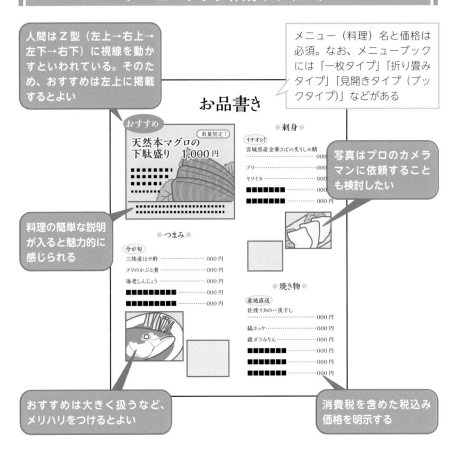

人間はＺ型（左上→右上→左下→右下）に視線を動かすといわれている。そのため、おすすめは左上に掲載するとよい

メニュー（料理）名と価格は必須。なお、メニューブックには「一枚タイプ」「折り畳みタイプ」「見開きタイプ（ブックタイプ）」などがある

写真はプロのカメラマンに依頼することも検討したい

料理の簡単な説明が入ると魅力的に感じられる

おすすめは大きく扱うなど、メリハリをつけるとよい

消費税を含めた税込み価格を明示する

お品書き

おすすめ　数量限定！
天然本マグロの下駄盛り　1,000円

● 刺身 ●

イチオシ！
宮城県産金華さばの炙りしめ鯖……………000
ブリ…………………………………………000
ヤリイカ……………………………………000

● つまみ ●

今が旬
三陸産ほや酢………………………………000 円
ブリのかぶと煮……………………………000 円
海老しんじょう……………………………000 円

● 焼き物 ●

産地直送
佐渡イカの一夜干し………………………000 円
縞ホッケ……………………………………000 円
銀ダラみりん………………………………000 円

料理にひと言を添える

　メニューブックに掲載しているメニュー名に簡単なひと言を添えると、料理の魅力をより感じてもらいやすくなります。この工夫によって特定の料理が人気になることも少なくありません。

- **調理方法**／熟成、特製、手打ち、自家製
- **食感**／ふわふわ、しこしこ、ほくほく、しゃきしゃき
- **素材**／国産、オーガニック、新鮮、朝採れ、朝挽き、漁港直送
- **希少価値**／希少部位、当店オリジナル、１日限定５食

おもてなしや思いやりで
イメージアップする

◆ 心のこもった接客はお店のイメージアップにつながる

　高い質の商品をリーズナブルな価格で提供しても、スタッフの接客態度がよくないと、お客様はなかなかリピートしてくれません。それは店舗をかまえないネットショップにも共通していて、メールでの問い合わせには親切に対応することが求められます。

　接客を伴う業種では、QSC が重要です。QSC とは Quality（クオリティ／質）、Service（サービス）、Cleanliness（クレンリネス／清潔さ）です。さらに最近はそれに Hospitality(ホスピタリティ) を加えた QSCH が重視されるようになっています。ホスピタリティは直訳すると「心のこもったおもてなし」になります。「サービス」と同じように思われがちですが、サービスは接客にあたるスタッフの役割で、やらなければならないことを指すのが一般的です。それに対してホスピタリティは、自発的にお客様のために行動します。

　スタッフのホスピタリティは、その店舗のイメージアップにつながり、クチコミやリピートなどの集客に役立ちます。

◆ 外国から来たお客様に誠実に対応する

　ホスピタリティはいろいろな角度から考えたいものです。

　たとえば、小売業で少し高い位置に商品を展示している店舗では、背が低いお客様のことを考えて足場となる台を用意しておくと、お客様はその台を利用して無理なく商品に手を伸ばすことができます。

　また、高齢のお客様のために、「バリアフリー※」にするのもホスピタリティの一つです。それには、たとえば移動しやすくなるように段差をできるだけ少なくするなどの工夫が考えられます。

　もう一つ、今の時代、どんな場所に店舗をかまえていても外国からのお客様が訪れる可能性があります。日本語を話すことができない人もいるし、

Word バリアフリー：語源は英語の「Barrier free」。意味は高齢者や障害者が社会生活を送る上で障壁となるものを取り除くことです。

日本の文化に戸惑い、不安を感じる外国人も少なくないでしょう。外国語が堪能であれば問題はありませんが、たとえ言葉が通じなくても、笑顔で接し、身振り手振りを交えて誠実な接客ができれば、相手を喜ばせることができます。状況によっては、スマホの外国語通話アプリを利用するのもよいでしょう。

　ホスピタリティには絶対的な正解はありません。業種や状況に応じて、お客様のことを第一に考えることが大切です。

接客業の QSCH

Quality

商品の質。具体はコンセプトなどによって異なるが、いつでも誰にでも一定の品質を保つことは、どの店舗にも大切

Service

文字どおり、サービスのこと。飲食業では「お客様を出迎える→注文を聞く→料理を運ぶ→会計をする」が一般的な流れ

Cleanliness

清潔さ。どんなにおいしい料理でも、清潔さがない飲食店では食事を楽しめない。清潔さは飲食業以外の店舗でも大切

Hospitality

おもてなしの心や思いやり。店舗のコンセプトを反映しやすいので、ライバル店と差別化をしやすい要素でもある

接客で使われる英会話

　接客でよく使用する英語をおぼえておくと、外国からのお客様が来店したときにスムーズにコミュニケーションがとれます。代表的なものには次のようなものがあります。

Hello, May I help you ?（いらっしゃいませ。何かお探しですか）

What size do you need ?（サイズはどのくらいですか）

Just a moment, please.（少々お待ちください）

You're welcome.（どういたしまして）

ネットショップで
商品を販売する

◆ ネットショップでの販売は大きく分けて2種類

　Amazonをはじめ、今やネットショップは私達の生活に欠かせないものになりました。Amazonのようにインターネット上で買い物ができるWebサイトのことを「ECサイト」といいます。ECはElectronic Commerceの略で、直訳すると電子商取引となります。

　ネットショップで販売する方法は、大きくは**「自社サイト」（自分のECサイト）を作成する方法**と、**Amazonや楽天などの「ショッピングモール」のECサイトを利用する方法**に分けられます。

　自社サイトには「運営コストが安い」「細かい分析ができる」「自社のブランディングに沿ったサイトを作れる」といったメリットがあります。自分で制作することも可能で、インターネット上にはそのための情報が多数掲載されています。

　ただ、ECサイト自体の作成や、ネットショップに必須のショッピングカートをECサイトに取り込む手間、また個人情報をはじめとしたセキュリティ面などを考慮し、専門業者に依頼する個人事業主も少なくありません。

◆ 決済方法や配送方法もしっかりと管理する

　ECサイトでは、実店舗と違って視覚だけで商品の魅力を伝えることになるので、**商品の説明文や写真、イラストでしっかりとアピールする**ことがポイントです。

　また、ショッピングカートの決済方法も重要で、お客様は自分が望む決済方法が選択できないと購入するのをやめてしまう可能性があります。決済方法には「銀行振込」のように馴染みが深いものに加えて、最近は「コンビニ決済」や相手にクレジットカード番号や口座番号を伝えずに取引ができる「PayPal（ペイパル）」「ID決済」も浸透しつつあります。最も利

Word **決済代行サービス：**クレジットカード決済、コンビニ決済、携帯キャリア決済などの決済を提供しているサービス。その会社と契約すれば、すべての決済サービスを利用できるしくみです。

用が多いのは「クレジットカード決済」ですが、そのサービスを利用するには、個人事業主はカード会社などに申し込む必要があります。また、「代金引換」は配送業者との契約が必要です。

クレジットカード決済やコンビニ決済などを代行する「決済代行サービス※」もありますが、手数料が高めに設定されています。

配送方法は、大きく分けて、「メール便」と「宅配便」、日本郵便が提供する「ゆうパック」の3つがあります。メール便と宅配便の違いは、メール便がお客様の郵便受けに入れて配達完了となるのに対し、宅配便は商品を手渡しすることで配達完了となります。

配送サービスの料金や方法は時代のニーズに応じて変化します。商品のサイズで配送方法を変えたほうがコストを抑えられることもあるので、定期的にサービス内容や料金を比較するとよいでしょう。

EC サイトの主な決済方法

決済方法	概要	注意点
銀行振込	個人事業主は振込口座を作り、お客様はその口座に振り込む	個人事業主はこまめな入金確認が基本
クレジットカード決済	お客様がクレジットカードで決済をする方法で、普及率が高い	カード会社などへの申し込みが必要
代金引換	商品の届け時にお客様が現金で支払う	配送業者との契約が必要
コンビニ払い	個人事業主が商品にコンビニ払い用紙を同封するタイプや、お客様が購入時の表示画面を印刷してコンビニに持ち込むタイプなどがある	コンビニ収納代行業者に依頼するのが一般的
キャリア決済	お客様はキャリア（NTT ドコモなどの携帯電話の通信サービスを提供する通信事業者）から料金を請求される	各キャリアに申し込みが必要
PayPal（ペイパル）	お客様は PayPal のアカウント（銀行の口座に相当するもの）にクレジットカードの情報を登録しておき、そのアカウントから支払いをする	事業主も PayPal のアカウントが必要
ID 決済	Amazon、楽天、PayPay などの外部サービスに登録された会員情報と連携できるキャッシュレス決済	導入にはページ改修が必要な場合もある

楽天市場や Amazon で
自分の商品を売る

◆ モール型は楽天市場タイプとAmazonタイプ

　ショッピングモール型の EC サイトには、「テナント型（出店型）」と「マーケットプレイス型（出品型）」という２つのタイプがあります。

　テナント型は、プラットフォーム※に企業や個人事業主がショップを展開して管理・運用するタイプで、楽天市場や Yahoo!ショッピングが該当します。出店者は商品の出品登録から商品の売上集計や受注管理、発送業務など、すべての運営業務を行い、決済方法や送料も自分で決められます。

　一方、マーケットプレイス型は一つの Web サイトに企業や事業主が商品を出品するタイプで、それぞれのショップのページはありません。Amazon がこれにあたります。商品データだけが集約されているため、Amazon の場合、お客様は「Amazon で買い物をした」ということになります。

◆ ヤフオク!やメルカリでも商品を売れる

　インターネットで商品を販売して収入を得るには、オークションサービスやフリーマーケットサービスを利用するという方法もあります。代表的なのはヤフオク!とメルカリです。

　ヤフオク!は 1999 年にオークションサイトとして、メルカリは 2013 年にフリーマーケットアプリとしてスタートしました。両者は値づけが違い、ヤフオク!は一番高い値をつけた落札者が商品を購入するシステム（買う側が商品の値段を決定するシステム）で、メルカリは売る側が自由に出品価格を設定できます。ただし、ヤフオク!も、売る側が出品価格を自由に設定できる「フリマ形式」を開始するなど、両者の違いは少なくなっています。

　自社の EC サイト、ショッピングモール型の EC サイト、オークションサービス（フリーマーケットアプリ）というインターネットで自分の商品

Word **プラットフォーム**：語源は英語の platform で、基盤や土台という意味です。インターネットでは商品を提供する事業主と利用者が結びつく場所という意味で使われます。

を販売する方法は、それぞれに特徴があり、一概にどれがよいとはいえません。また、**複数のモール型のECサイトに同時に出店・出品しつつ、自社ECサイトを運営している企業や個人事業主も多いのが現状です。**

どの方法を選ぶかは、自分の事業のコンセプトや商品の特性などによって総合的に判断しましょう。

テナント型とマーケットプレイス型の特徴

タイプ		特徴	注意点
テナント型 （出店型）	楽天市場	●女性の利用者が多い楽天ポイントと連携している ●生活雑貨、アパレル、食品などのジャンルに強い ●ECコンサルタントのアドバイスがある	●他のECサイトに比べると運営費が高い ●ジャンルごとに人気店舗があり、新規参入でお客様を獲得するのが難しい傾向がある
	Yahoo! ショッピング	●Yahoo!にブランド力がある ●若い利用者が多いPayPayと連携している ●出店料や月額システム利用料などの運営固定費が基本無料	●商品が売れた場合、所定のコストや決済サービス手数料を負担しなければならない
マーケットプレイス型 （出品型）	Amazon	●圧倒的な訪問者数や物流網で世間の認知度が高い ●店舗デザインなどがないため、商品さえあればすぐに売れる	●自分の店舗のコンセプトは反映できない

Check!

「BASE」が個人事業主から人気上昇中

近年、個人事業主から人気なのが「BASE（ベイス）」です。BASEは、契約時にかかる初期投資の費用や、毎月かかる月額費用がゼロ円で、売れたときだけ手数料がかかるプランがあります。そのため、個人事業主のような、最初はリスクをできるだけ抑えたいという方々から、人気を博しています。BASEから始め、その後、少しずつ事業を大きくしていくという考えの方から支持を得ているのです。

自分のホームページや
YouTubeで収入を得る

◆ ホームページから収入を得る方法もある

　ホームページ（HP）やSNSは集客に欠かせない存在です。自分のHP
やSNSなどに人を集められるようになると、それ自体で収益を上げられ
るようにもなっていきます。たくさんの人を集めることができれば、多大
な報酬を得ることができるからです。YouTubeに動画を投稿して報酬を
得るユーチューバーはその典型で、多くの人が副業としてYouTubeを始
め、その後YouTubeだけで生計を立てることを目標にしています。

　まずは自分のHPで収入を得る方法を紹介します。これには**「クリック
報酬型」**と**「成果報酬型」**という2つの方法があります。

　「クリック報酬型」の代表的なものはGoogleが提供している「Google
AdSense（グーグルアドセンス）」というサービスです。このサービ
スで収入を得るためにすることは、自分が運営しているHPにGoogle
AdSenseのタグを貼りつける（システムを組み込む）だけです。タグを
貼りつける操作は簡単で、それでサイトを閲覧しているユーザーに対して
最適な広告が自動で表示されるようになり、ユーザーが広告をクリックす
るとHPの運営者は報酬を受け取ることができます。

　一方、成果報酬型はアフィリエイトという名前で広く知られているサー
ビスです。このサービスを利用するには、ASP※と呼ばれる広告を配信し
ているサービスに登録して、自身のHPに特定の商品の広告を掲載します。
そして訪問者がその商品を購入すると報酬が支払われます。

◆ YouTubeの主な収入源は企業の広告

　基本的にユーチューバーが仕事として行うのは、自分の動画を
YouTubeに投稿することです。それで収入を得るわけですが、その内訳
には「広告収益」「スーパーチャット」「スーパーサンクス」「チャンネル
メンバーシップ」などがあります。なかでもユーチューバーの収入源の中

Word **ASP:** Affiliate Service Provider（アフィリエイト・サービス・プロバイダ）の略で、インター
ネットを中心に成功報酬型の広告を配信する企業（または組織）を指します。

心となるのが広告収入です。広告のお金を出すのは自社の商品を広告した
い企業で、企業は YouTube に対してお金を払い、YouTube がユーチュー
バーに対して、そのお金を分配します。スーパーチャットやスーパーサ
ンクスは YouTube の機能の一つで、視聴者がユーチューバーに直接、寄
付することができるサービスです。また、チャンネルメンバーシップも
YouTube の機能の一つで、視聴者は毎月一定の料金を払うことで好きな
ユーチューバーを支援できます。

　いずれにせよ、ネットでの広告収入は、より多くの人を集めることが大
切で、基本的には、**HP なら閲覧数、YouTube なら再生回数（チャンネ
ル登録者数）が多いほど、より多くの収入を得ることができます。**

IT 関連で収入を得る方法

ツール	タイプ	報酬の発生	主なサービス
ホームページ (HP)	クリック報酬型	ユーザーが広告をクリックすると報酬が発生する	●Google AdSense （グーグルアドセンス）
	成果報酬型 （アフィリエイト ともいう）	ユーザーが商品を購入すると報酬が発生する	●Amazon Associate （アマゾン・アソシエイト） ●楽天アフィリエイト ●バリューコマース アフィリエイト （「Yahoo!ショッピング」「Amazon」 「楽天市場」などで掲載されるアフィ リエイトサービス） ●A8.net（エーハチネット）
動画 投稿サイト	―	再生回数や表示回数などに応じて報酬が発生する	●YouTube

収益化するには審査が必要

　HP で収入を得るためには、各サービスへの登録が必要で、登録するには審
査を通過しなくてはいけません。審査基準はサービスによって異なりますが、
そのサービスの規定に合った HP であることが前提です。審査を通すために
は HP の構造を変えなくてはいけないこともあるので注意が必要です。一方、
YouTube はチャンネルの過去の公開動画の総再生時間やチャンネル登録者が一
定数を超えていないと、収入を得ることができません。

レンタルオフィスで 必要経費を節約する

◆ 自宅兼事務所とするか、事務所をかまえるか

　IT 系のプログラマーなどのフリーランスの活動拠点は、自宅兼事務所、または仕事場として借りた事務所が一般的です。

　自宅兼事務所の主なメリットは、**家賃や公共料金の一部を事業用の必要経費にできる**ので、事務所を借りるよりも初期費用や毎月の費用を抑えられることです。また、通勤の負担がないため、一日の時間を有効に使うこともできます。

　一方、事務所を借りるメリットは**プライベートと仕事の切り替えがしやすい**ことです。お客様の会社に近い場所に事務所をかまえれば、打ち合わせのための移動も楽になり、お客様との結びつきも深くなります。

◆ 事務所をシェアして家賃などの負担を軽くする

　それまで会社員として事務所で働いていた人が独立開業すると、仕事とプライベートの切り替えに悩むことが少なくありません。その一方で、とくに事業をスタートする時期は出費を抑えたいものです。

　そのジレンマの解決に役立つ方法の一つは**事務所をシェアする**ことです。家賃を折半すれば、仕事上で有利となる、一等地の物件も借りることもできるかもしれません。

　また、最近は「SOHO 事務所」を借りる人も増えています。SOHO は「Small Office Home Office」の頭文字をとったもので、オフィスとして一つの部屋を借りるワークスタイルを意味します。事業用として契約する一般のオフィスと違い、SOHO 事務所は居住用として契約します。そのため「法人登記ができない」「不特定多数の人の出入りは不可とされている」などのデメリットがありますが、費用を抑えられるのは魅力です。

　もう一つ、レンタルオフィスを利用するという方法もあります。レンタルオフィスは机やイス、インターネット回線などの一般的な業務に必要な

Word コワーキングスペース：異なる職業や仕事をもった人達が同じ場所に集まり、事務所、会議室、打ち合わせスペースなどを共有する共働ワークスタイル。

環境があらかじめ整っている貸事務所です。その設備の費用は利用料金に含まれていて、個人が占有できるスペースが机一つ分などと限定的であるため、賃貸オフィスより安い費用でオフィスをかまえることができます。そのほかにも「コワーキングスペース※」や「バーチャルオフィス」など、いろいろな働くための空間を確保するための方法があります。自分に合ったものを選びましょう。

自宅や事業用以外の主なオフィスの種類

オフィスの種類	概要	ポイント
レンタルオフィス	キッチンやトイレなどの施設は共有で、自分だけが使用できるスペースがある	従業員を採用しない業種に人気が高く、都内を中心に施設が増えている
SOHO事務所	マンションやアパートの一室を仕事をする場所として借りる	費用はかかるが事業用のオフィスよりもリーズナブルである
コワーキングスペース	キッチンやトイレなどの施設は共有で、デスクなどの作業スペースも自分専用ではない	レンタルオフィスよりもリーズナブルである
バーチャルオフィス	事業を行っていく上で必要な住所を借りる（作業用のスペースはない）	郵便物の転送や会議室の貸し出しなど、施設によってさまざまなサービスがある

自分が好きな場所で働くノマドワーカー

　最近は特定の事務所を所有しないで、自分が好きな場所で働く「ノマドワーカー」も増えています。ノマドの語源は英語の「nomad（ノマド）」で、意味は遊牧民です。ノマドワーカーは、その働き方を、所定の住居をもたずに移動して暮らす遊牧民としてたとえた表現というわけです。ノマドワーカーに向く職種はライターなどのパソコンとインターネットがつながる環境があれば仕事をできる職種です。仕事をする場所には、喫茶店やファミレスなどがよく利用されています。

物件選びのポイントは
賃料、場所、面積、階数

◆ コンセプトに合った物件を探す

　飲食業や小売業の店舗営業の場合は、店舗をかまえる場所がとても重要です。駅の近くでなければお客様が集まらないケースもある一方で、店舗の広さを優先したほうがよいこともあります。

　店舗に合った場所は、事業の形態や提供する商品などによって大きく異なります。**まずは事業のコンセプトを明確にして、必要に応じてブランディング（76ページ）を行ってから物件探しに取りかかりましょう。**

　また、自分が希望する条件を整理しておくのも物件探しのポイントの一つです。整理しておきたい項目は「賃借料」「場所（最寄駅・徒歩時間）」「面積」「階数」という4つです。それぞれについて、自分の希望を明確にしておきましょう。

　なかでもとくに注意したいのが場所です。駅近ならば人は集まりますが、賃料も上がります。利益計画（48ページ）とあわせて考えましょう。階数も大事なポイントです。同じ建物でも路面店※とそうでない物件では集客力や賃料が大きく異なるからです2階以上の店舗を空中店舗（あるいは階上店舗）と呼びますが、階数が上がるごとに集客は難しくなります。ただし、美容院や塾のように予約や入会の手続きがある事業は、階数にあまり左右されない傾向があります。

◆ テナントも含めて、いろいろな可能性を考慮する

　物件探しの方法は、インターネットで検索して希望する地域の物件の賃料などのだいたいのイメージをつかんでから、不動産業者を利用するケースが主流です。

　不動産仲介業者を利用する場合は複数の業者に依頼しましょう。そうすることによって、より多くの情報が得られ、希望に合った物件を見つけられる可能性が高くなります。

Word **路面店**：通りに面している店舗のこと。通りを行き交う人からの視認性が高いため、集客力があり、賃料も高くなります。

候補の物件が見つかったら、**実際に足を運んで下見をする**のは必須です。その物件の近くを通る人の様子をはじめ、駅からの人の流れもチェックします。曜日や時間帯によって、人の流れは大きく変わります。物件は一度決めたら簡単には変えられません。さまざまな時間帯に足を運び、客層を見極めましょう。

また、くわしくは次のページで紹介しますが、店舗営業は物件を借りれ
ばすぐに開業できるわけでありません。それまでに内装を整えるなどの準備が必要で、そのための費用もかかるので、その費用も考慮しなくてはいけません。物件は、いろいろな可能性を考慮して、広い視野で探すようにしましょう。

物件探しのポイント

物件探しの基本項目

- □ 賃借料
- □ 場所（最寄駅・徒歩時間）
- □ 面積
- □ 階数

物件探しで注意したい点

- □ 営業に関して禁止事項が設けられていて、深夜営業などが制限されていることもあるので事前に確認する

物件探しで意識したい項目

- □ 人通りの多さ
- □ ターゲット客層の多さ（曜日・時間別）
- □ 周辺の環境
- □ 駐車スペース
- □ 水回り
- □ 電話や電気の配線
- □ 換気設備
- □ 冷暖房設備
- □ トイレの衛生状態
- □ 防犯セキュリティ
- □ 避難経路　など

足を運んで未公開物件の情報を入手する

事業用物件の場合は半年前に解約予告されることがあり、その情報が公開される前の物件を「未公開物件」と呼びます。よい未公開物件は、募集が公開される前に次の借主が決まってしまうことが少なくありません。では、どうすれば未公開物件の情報は入手できるかというと、不動産仲介業者やオーナーに問い合わせるのが、一番の近道です。インターネット全盛の現在ですが、物件探しについては、実際に自分の足を動かすことも大切です。

「居抜き」を利用して
開業にかかる費用を抑える

◆ オープンするには賃料以外の費用もかかる

　店舗営業は物件を借りて、すぐにオープンできるわけではなく、それまでに事業に応じた準備が必要です。期間や労力もさることながら、**とくに意識したいのが、オープンするための費用です。**

　たとえば飲食業の店舗なら、物件を契約するのに必要な費用、内装や外装を整えるための費用、ガスコンロや冷蔵庫、シンクなどの調理器具をそろえるための費用、テーブルや食器などをそろえるための費用が必要になります。

　具体的な金額は提供する商品の内容やそろえる器具の質や量などによって大きく異なるので一概にはいえませんが、およその目安としては小規模のカフェ（10坪）で650〜700万円くらいとなります。

　なお、物件取得費について、そこに含まれる保証金や仲介手数料などは物件ごとに設定されているので、不動産契約を結ぶ前に確認するのが基本です。また、厨房の設備工事や配線工事、内装・外装の工事をする場合は、退去時の原状回復義務を不動産仲介業者に確認しておきましょう。

◆「居抜き」を利用すると費用を抑えられる

　店舗をオープンするための初期費用は大きな負担となりますが、それを軽減するための工夫もあります。

　その代表的なものが「居抜き」です。居抜きとは、閉店した店舗の設備がそのままの状態で売買（賃貸）されている物件（または、そのような物件を利用すること）です。**居抜きの物件を借りる場合は、前の借主がどのような商売をしていたのかを確認し、撤退の理由もチェック**しましょう。

　また、以前はラーメン屋であった店舗をカフェに

Word リノベーション：建物を用途に応じて改修すること。なお、一般的には、汚れてしまった建物を新築の状態に近づけるための改修は「リフォーム」といいます。

するなど、居抜きの物件を改修する方法もあります。このような改修は「リ
ノベーション※」と呼ばれています。

　なお、外装の工事やリノベーションのように大きな金額となるものは、
「相見積り」をとることがポイントです（相見積もりとは、複数の会社に
工事の見積りを一斉にお願いすることです）。大きな買物ですから、万全
を期すのに越したことはありません。

物件を取得するために必要な費用

項目	概要	金額の目安
保証金	住宅の敷金と同じようなもので、契約のときに賃借料の数か月分を貸主に支払う。退去時の原状回復のための費用に当てられるので、差額があれば戻ってくるケースもある	賃借料の3〜10か月分程度
仲介手数料	物件を仲介してくれた不動産屋に支払う	賃借料の1か月分程度
権利金	店舗営業をするための権利料として貸主に支払う。事務所を借りる場合は、住宅と同じように礼金（戻ってこないお金）として支払う場合もある	賃借料の3〜10か月分程度
賃借料（家賃）	毎月の賃借料は、前月に前払いするのが原則。契約した際には翌月分の賃貸料を支払う	賃借料の1か月分程度
その他	マンションやビルの一室を借りる場合は、賃借料とは別に共益費（管理費）がかかることもある	賃貸料の5〜10％程度のことが多い

物件の広さは自分の目で確かめる

　不動産仲介業者が物件を紹介するときに表記している面積の多くは「契約面
積」です。契約面積にはエレベーターや建物の玄関など、共有されているスペー
スが含まれていることもあります。これに対して、実際に借主が自分の事業の
ために使用できる面積を「実効面積」といいます。契約面積で表示されている
物件を借りると、あとで実効面積が狭いことに気がついても、契約時の賃借料
を支払うことになります。契約を決める前に、しっかりと広さを確認しましょう。

移動販売で必要経費を抑え、大きな利益を上げる

◆ 大きな利益を上げられる可能性がある移動販売

　できるだけ少ない初期費用で飲食業をスタートしたいのであれば、どこかに店舗をかまえるのではなく、自動車を利用した「移動販売」で展開するという選択肢もあります。

　移動販売の開業資金は300 ～ 500万円が相場で、**店舗型の半分程度の資金で開業することができます。**

　また、販売場所については、一等地に店舗をかまえるのはなかなか難しいものですが、移動販売なら、それも可能です。より売上を伸ばしやすい場所に移動したり、時間帯や曜日、季節によって出店場所を変えられるのも移動販売の大きなメリットです。人が多く集まるイベントの近くに簡単に移動できるので、大きな利益を上げる可能性もあります。

◆ 移動販売車は8ナンバーの交付を受ける

　移動販売に使用する自動車は、「食品営業自動車」と「食品移動自動車」の2種類です。食品営業自動車はクレープやたこ焼き、焼き鳥などの料理を自動車内で調理して販売する自動車で、食品移動自動車はパン屋のように車内で行うのは販売のみで調理は行わない自動車です。

　いずれにせよ、**移動販売に使用するには特定の構造要件を満たした上で、8ナンバー**※**の交付を受ける必要があります。**構造要件を満たす車は自分で作ることもできますが、手間や安全性を考えると専門の業者に依頼したほうが安心です。費用を抑えたいのであれば、移動販売車として使用していた中古車を購入するとよいでしょう。

　また、移動販売を行うには「食品衛生責任者」を置くことに加えて、その自動車について、保健所の営業許可が必要になることがあります。たとえば、都内で営業をする場合は、管轄の保健所に事前相談をし、営業許可書の交付を受けなければなりません（市区町村や都道府県をまたがって営

Word **8ナンバー**：移動販売車は特殊用途自動車扱いになるので、ナンバープレートに記載される分類番号が8で始まる「8ナンバー」の登録が必要です。

業するケースでは、営業範囲をカバーするすべての保健所で営業許可を取得する必要があります）。仕込み場所については、保健所の営業許可が別に必要になる場合もあるので、その点についても確認しておきましょう。

なお、出店する場所を確保する際も、手続きが必要になります。たとえば、イベント会場や駐車場などの私有地の場合は、土地の所有者と交渉。道路上で営業する場合は管轄の警察署長から道路使用許可を取得。公園内で営業する場合は公園を管理する団体や国土交通省などに申請をします。

移動販売に必要な資格や許可

必要な資格や許可	概要
食品衛生責任者	営業許可を受ける施設（車両）一つにつき一人の食品衛生責任者
営 業 許 可	提供する商品に応じて、「喫茶店営業」「飲食店営業」「菓子製造業」「乳類販売業」「食肉販売業」「魚介類販売業」「食料品等販売業」のいずれかを取得する必要がある（東京都の場合）
道 路 使 用 許 可	道路上で販売を行う場合、警察署から道路使用許可を取得する必要がある
国土交通省の許可	公園内で営業する場合、公園を管理する団体や国土交通省に認可申請を行う

移動販売の車両は保健所に相談を

移動販売を始めるには次のような手順になります（手順は一例で、前後することもあります）。

①事業計画を立てる（いつどこで何をどのような方法で販売するのかを決め、開業資金についても計算しておく。販売場所についてはとくに入念な調査をする）

②車両の改造計画を考えて保健所に相談する（相談なく改造すると要件を満たせずに改造後に NG となる可能性がある）

③食品衛生責任者の資格をとる

④車両を改装して車検の登録内容を変更する

⑤営業許可を申請する（申請後、検査が入る）

⑥必要に応じて道路使用許可などの許可をとる

⑦営業をスタートする

「売りたい」と「売れる」の間で価格を決める

◆ お客様に満足してもらい、利益にもなる価格をめざす

　商品の価格も集客に大きく関係します。原則として価格は個人事業主が自由に決めることができ、商品に価格をつけることを「値づけ」といいます。

　事業主（商品を提供する側）は利益を出すためにできるだけ価格を上げたいと考えますが、その価格が相場からかけ離れてしまうと、どんなによい商品でも購入までの敷居が高くなります。

　反対に価格が安すぎると、お客様は喜ぶでしょうが、利益が少なくなってしまいます。さらに特別感や高級感が薄れ、客離れを起こす原因になることもあります。

　大切なのは売りたい価格と売れる価格の間でちょうどよいバランスをとることです。お客様に満足してもらい、なおかつお店の利益にもなる価格（「適正価格」といいます）をめざしましょう。

◆ 価格はのちのちのことも考えて決める

　値づけの方法は、主に「①原価をもとにする」「②相場をもとにする」「③お客様をもとにする」という3つのタイプがあります。

　それぞれに特徴があり、一概にどれがよいとはいえません。また、業種によっても適した値段の決め方は異なります。たとえばプログラマーやカメラマンなどのフリーランスは相場をもとにすることが多いでしょうし、何に対して価格を決めるかという基準についても、プロジェクトごとであったり、日給制※であったりとさまざまです。

　一方、飲食業や小売業などの個人事業では、「①原価をもとにする」のが一般的です。仕入値（原価：164ページ）をベースに必要経費を加え、最後にどのくらいの利益を得たいかによって価格を決める方法です。

Word 日給制：1日を単位として金額を定め、出勤した日数に応じて賃金を支給する制度。1時間が単位の場合は時給制、1か月が単位の場合は月給制といいます。

　なお、値づけで注意したい点として、**一度設定した価格はなかなか変えられない**ということはおぼえておきたいところです。とくに値上げは、それまで商品を購入してくれていたお客様が離れていってしまうきっかけになることが少なくありません。たとえば、それまで800円で提供していたラーメンを900円に値上げをするには、100円以上に感じられるような質に高めないとお客様は納得しません。最初から利益の出るビジネスモデルを反映した値づけを心がけましょう。

主な価格のつけ方

	決定のしかた	ポイント
①原価をもとにする	原価をもとに売上目標を設定して、そこから商品の価格を決める	最もポピュラーな価格の決め方で、いろいろな業種や商品に対応できる
②相場をもとにする	競合他社の価格や、類似商品の相場をもとにして価格を決める	地域による傾向もあるので、事業を行う場所でのリサーチも必要
③お客様をもとにする	「この価格なら利益も出て、お客様も購入するだろう」と予想する	類似商品がないために相場がわからない場合などに有効

適正価格がわからなければ時給で考える

　とくにカメラマンやデザイナーなどのクリエイティブ系の職業は、自分がつけた価格が適正であるかどうか、判断が難しいものです。そこで役立つのが、自分の時間単価を基準にする方法です。この場合は目標の年収から次の計算で算出します。

・目標年収 ÷ 12か月 ÷ 月の稼動日数 ÷ 1日の稼動時間 ＝ 時間単価

　たとえばプロジェクトごとに支払われる案件でも、その仕事に要する時間と自分の基準となる時間単価を照らし合わせて考えることができます。そして、その報酬が、自分が目標としている時間単価に合わないようであれば受注しないという選択肢もあります。

仕入先をメインとサブに分けて仕入のコストを抑える

◆ メインの仕入先を決めつつ、サブの仕入先も確保しておく

　飲食業や小売業の個人事業主にとっては、仕入や在庫管理も大事な要素です。仕入については、よりリーズナブルな価格で仕入れることができれば、競合店より安い価格で提供することができ、あるいは同じ価格でもより多くの利益を得ることができます。

　一般的に商品や商品を作るための原材料は卸売業者（問屋※）から仕入れますが、それ以外にもメーカーから直接、仕入れる方法やほかの小売店から仕入れる方法などもあります。仕入先はインターネットで検索すると多くの業者がヒットしますし、知り合いの同業者から情報を得るのもよいでしょう。

　仕入先を選ぶときのポイントは、価格と同じくらい、仕入先が自分の事業のコンセプトに合ったものを取り扱っているかを考慮に入れること。コンセプトをベースにメインの仕入先を決めつつ、メインの仕入先の弱いところを補えるサブの仕入先を確保しておくのが理想です。

◆ 在庫管理のポイントは季節などのサイクルを把握すること

　在庫管理とは、店内に陳列している商品や料理の具材などが不足したときに、すぐに補充ができるように保管している商品をそろえることを指します。数だけではなく、販売に不向きとなった古い商品や傷んでしまった食材を廃棄するなど、質を管理することも在庫管理に含まれます。

　在庫がなくなり、商品をお客様に提供できないと、売上が落ちるばかりか、お客様の信用を損なうことになってしまいます。その一方で、過剰な在庫は限られた店舗スペースや予算を圧迫します。在庫はこまめに確認して、常に適量を保つように心がけましょう。

　とくに在庫管理が重要なのは飲食業です。時期などによって客足や注文される料理も変化するからです。在庫を上手に管理するためのポイントは、

Word 　**問屋**：一般的には「とんや」と読み、卸売業者と同じ意味で使われています。問屋はさまざまな業種に存在し、小売店にとって力強い味方です。

季節や天候、曜日、時間帯などのサイクルごとに売れる料理の傾向を把握することです。また、傷みやすいものは仕入の量を抑える、管理する棚を分けて古いものから順に使用していくなどの工夫も必要になります。

主な仕入先の特徴

仕入先	概要	注意点
卸売業者	メーカーや生産者から商品を仕入れて小売業者に販売する業者。一つの取引先でさまざまなメーカーの商品を仕入れることができる	卸売業者に仲介料を支払うことになるので、生産者との直接の取引よりも価格が高い
メーカー	仕入先としての「メーカー」は、一般的に商品や商品の材料の製造業者のことをいう。インターネットなどで情報を入手しやすくなったこともあり、直接の取引ができるメーカーが増えている	販売数量が大きいケースが多いため、取引できるところが限定的である
生産者	仕入先としての「生産者」は、一般的に料理や衣料の材料となる素材を供給する人や企業のことをいう	安定して供給してもらえない可能性がある
市場(いちば)	定期的に人が集まり、商品を取引する場所のこと。事業主が生産者から商品を購入する場で、比較的安価で仕入ができることが多い	市場によっては登録が必要
小売店	とくに飲食業は、近くのスーパーや野菜店などから仕入れるケースも多い	基本的には割高なことが多い

トランクルームもいろいろなタイプがある

　小売店やネットショップでは、自宅や事務所に商品の保管スペースがなければ、トランクルームを借りるという選択肢もあります。在庫管理用のトランクルームを探す際のポイントは、「事務所などの商品の出し入れを行う場所からの距離」「トランクルームの広さ」「トランクルームの設備」の３つです。とくに見落としがちなのは、トランクルームの設備。衣服を収納しやすいようにハンガーパイプがついている施設や、重い荷物を出し入れすることが多いのなら台車を利用しやすいようにスロープ（坂）がついているところが便利です。

契約を結ぶなどして
自分の利益をしっかり守る

◆ 個人事業主は必要以上に労力をかけない判断も必要

　個人事業主にはギブ＆テイクの精神が大切で、「クライアント・ファースト」というようにギブを重視することが事業成功のコツの一つです。

　ただし、**ギブに意識を向けるばかりにテイクの部分がおろそかになってしまわないように注意**が必要です。テイクの部分を軽視すると、「貧乏暇なし」の状態になってしまうこともあります。

　とくにデザイナーやプログラマー、ライターのようなフリーランスは、時給制ではなく成果物に対して報酬が支払われるケースが少なくありません。たとえば1時間の仕事で5万円を稼ぐこともあれば、15時間かけても1万円の仕事が終わらないということもあります。ここで大切なのは、「手がけた商品（成果物）に対して報酬を得る」という感覚です。

　効率化できる部分は効率化して、ときには時間を費やせば質が上がるものでも、それが割に合わないのであれば必要以上の労力はかけないという判断も必要です。

◆ 契約や書面で意見の食い違いを防ぐ

　個人事業主にとっては報酬の管理も業務の一つです。口約束で「だいたい10万円くらいで」などとアバウトなまま進めると、商品（成果物）を納品したあとの請求時に意見が食い違うこともあります。2024年11月スタートのフリーランス新法（「特定受託事業者に係る取引の適正化等に関する法律」）により、次のことを事前に書面やメールなどで通知し、フリーランス（受注側）の承諾を得ることが義務づけられています。

☐ 事業内容
☐ 報酬額
☐ 支払期日　　など

Word **収入印紙**：特定の文書に対して課せられる税金を徴収するために、政府が発行する証票。請負
契約書などは、印紙税法によって収入印紙の貼付が定められています。

　事業内容はできるだけ具体的に記載してもらいましょう。ここで確認すべきことは、どのような内容の仕事か、どのくらいの数量が必要か、修正回数は何回くらいか、納品後の修正の扱いはどうなるのか、などです。

　また、報酬の入金についても、決められた日時に決められた報酬が入金されているか、確認を怠らないようにします。クライアントが企業の場合、納品日から60日以内に支払いを済ませなければならないということも、フリーランス新法に定められています。

　「請負契約」や「委任契約」などの契約を結んでおくとさらに安心です。

　請負契約書とは、業務を完成させて成果を収めることを目的にした契約です。仕事の結果に対する責任があり、デザイナーがプロジェクト（たとえばロゴなど）のデザインを作成する場合などが対象になります。

　一方の委任契約書とは、業務を遂行することを目的とした契約です。仕事の過程に対する責任があり、結果に対する責任は負いません。たとえば弁護士や税理士、コンサルタントの顧問契約などが対象になります。

　これらの契約書には、代金の支払いや納品の方法、業務に関する取り決めなどが明文化されているので、**内容をしっかり確認してから印鑑を押す**ことが大切です。その場で解決できないことがあったら、うやむやにせず、専門家など第三者の意見を聞きましょう。

　契約書は2部ずつ作成し、双方が1部ずつ保管するのが原則ですが、最近では電子契約書も増えています

請負契約書と委任契約書の違い

	目的	例	収入印紙※
請負契約書	業務を完成させて成果を収めることを目的にした契約。仕事の結果に対する責任がある	デザイナーがプロジェクト（たとえばロゴなど）のデザインを作成する場合などが対象になることが多い	必要
委任契約書	業務を遂行することを目的とした契約。仕事の過程に対する責任がある	弁護士や税理士、コンサルタントの顧問契約などが対象になることが多い	原則として不要

契約を交わす双方を「甲」「乙」という言葉で表す

収入
印紙

請負契約書

〇〇出版 (以下、甲) と〇〇〇〇 (以下、乙) は、書籍のデザイン業務 (以下、本業務) において以下の契約を締結する。

委託する業務の内容を明らかにする

第1条 (請負業務)
甲は、書籍『個人事業の始め方』の全ページの紙面デザイン (以下、本成果物) を乙に発注し、乙はこれを請け負う。

第2条 (期限・納入)
乙は、甲が指定した納入期日を厳守の上、本成果物を納入する。

支払日や支払方法を明示。発注した物品などを受け取った日から数えて60日以内の報酬支払期日を設定し、期日内に報酬を支払う

第3条 (検査)
甲は、本成果物が納入されたときは、遅滞なく検査を実施し、甲の検査に合格したときは、乙に対し検査合格の通知を行うものとする。

金額については消費税額なども明らかにしておく

第4条 (請負料・支払)
 1. 本業務の請負料は〇〇円 (うち消費税額〇〇円) である。
 2. 乙は、甲の検査の合格後、速やかに請求書を甲に郵送する。甲は請求書を受領したあと、当該月末締め翌月末払いで乙の指定する銀行口座に振り込む。

この契約を証するために、本書を2通作成し、甲乙双方署名捺印の上、各自その1通を保有するものとする。

〇年3月30日

収入印紙を貼り、両名が消印を押す (収入印紙の税額は、契約の内容や契約金額によって異なる)

甲　　住所　台東区浅草〇丁目〇番地
　　　氏名　株式会社〇〇出版　　　　　　　
乙　　住所　台東区台東〇丁目〇番地
　　　氏名　〇〇〇〇

それぞれが署名をして捺印をする

Check!

事業にかかわるさまざまな契約書

　事業をスタートさせると、あらゆるシーンで契約書を交わす機会が発生します。店舗や事務所を借りるときの「不動産賃貸契約書」、アルバイトやパートを雇うときの「雇用契約書」、コピー機などの事務機器を借りるときの「リース契約書」などです。損害賠償条項や担保責任、契約の解除条項が盛り込まれている場合は、自分が不利な立場に置かれないように、納得がいくまで話し合いましょう。なお、不動産賃貸借契約書 (土地賃貸借契約書を除く)、雇用契約書、リース契約書については、収入印紙の貼付は不要です。

第4章

◆

開業に必要な手続き

個人事業主に必要な
届出や手続きを知る

◆ 税金や保険に関する届出や手続き

　個人事業を始めるにあたっては、いくつかの書類を関係機関に提出しなければなりません。第4章では、主な手続きと届出書について説明します。

　個人事業を開始したら、まず税金に関するいくつかの届出書を提出しなければなりません。すべての個人事業主に義務づけられている「個人事業の開業・廃業等届出書」と、ほとんどの個人事業主が提出しなければならない「事業開始等申告書」です。

　また、青色申告を希望するときは「所得税の青色申告承認申請書」、家族に支払った給与を必要経費にする場合は「青色事業専従者給与に関する届出書」、従業員に給与を支払うことになったら「給与支払事務所等の開設届出書」なども提出します。このほか、従業員を雇ったら労災保険や雇用保険、社会保険（健康保険と厚生年金保険）に関する手続きもしなければなりません。

　これらはすべて、税金や社会保険料などを正しく納めるために必要な手続きです。提出を忘れたり、決められた提出期限を守らないと、その適用や資格を受けられないものがあるので注意してください。

◆ 窓口は税や保険の種類によって異なる

　届出や手続きの窓口は、税や保険の種類によって異なります。

　国に納める税金（所得税や源泉所得税など）は税務署、個人事業税は都道府県税事務所（税支所）、労災保険は労働基準監督署、雇用保険はハローワーク、健康保険と厚生年金保険は年金事務所※になっているので、最寄り所轄の行政機関の所在地を知っておきましょう。

　手続きを効率よく進めるためには、事前に電話などで問い合わせをし、必要な書類などを確認しておくことも大切です。

 年金事務所：健康保険や厚生年金保険を扱っている日本年金機構の窓口機関。年金事務所ごとの管轄区域は、日本年金機構のホームページで確認できます。

主な届出や手続き

個人事業の開業届出・廃業届出等手続　⇒ 116 ページ

所得税／税務署に個人事業の開始を届けるとき（すべての個人事業主が対象）

都道府県税事務所への個人事業開始申告の手続き　⇒ 118 ページ

個人事業税／都道府県に個人事業の開始を届けるとき（ほとんどの個人事業主が対象）

所得税の青色申告承認申請手続　⇒ 122 ページ

所得税／節税のために確定申告で青色申告を希望するとき（必要に応じて）

青色事業専従者給与に関する届出手続　⇒ 124 ページ

所得税／青色申告者が家族に支払った給与を必要経費にするとき（必要に応じて）

開業のために必要な許認可　⇒ 126 ページ

許認可／営業するために行政機関の許可や認可が必要なとき（該当すれば必ず）

給与支払事務所等の開設の届出　⇒ 130 ページ

源泉所得税／従業員に給与を支払うことになったとき（該当すれば必ず）

給与所得者の扶養控除等の（異動）申告　⇒ 132 ページ

源泉所得税／従業員に配偶者や扶養家族の状況を申告してもらうとき（必要に応じて）

源泉所得税の納期の特例の承認に関する申請　⇒ 136 ページ

源泉所得税／源泉所得税の納付を年 2 回にするとき（必要に応じて）

適格請求書発行事業者の登録申請手続　⇒ 142 ページ

消費税／インボイス制度の適用を受けるとき（必要に応じて）

所得税の棚卸資産の評価方法の届出手続　⇒ 144 ページ

所得税／棚卸資産の評価方法を選択するとき（必要に応じて）

所得税の減価償却資産の償却方法の届出手続　⇒ 148 ページ

所得税／減価償却の償却方法を変更するとき（必要に応じて）

労災保険と雇用保険の手続き　⇒ 150 ページ

労働保険／従業員を雇って労働保険に加入するとき（該当すれば必ず）

健康保険と厚生年金保険の手続き　⇒ 156 ページ

社会保険／5 人以上従業員を雇って社会保険に加入するとき（該当すれば必ず）

税務署に個人事業の開始を届け出る
～個人事業の開業・廃業等届出書

【税金の種類】所得税
【提出先】　　納税地の所轄税務署
【提出期限】　事業開始から1か月以内
【対象者】　　個人事業を開業するすべての人
【手続き名】　個人事業の開業届出・廃業届出等手続

◆ すべての個人事業主に義務づけられている届出書

　個人事業の開業の届出は、すべての個人事業主に義務づけられた手続きです。この届出書を提出することによって、「個人事業を開業します」という宣言になります。

　新たに事業を開始したら、事業開始日から1か月以内に「個人事業の開業・廃業等届出書」を提出しなければなりません。

　届出書には、納税地の住所や開業の日付のほか、職業（業種など）や屋号（70ページ）などを記入。事業の概要についてもできるだけ具体的に説明し、「所得税の青色申告承認申請書」（122ページ）の有無なども記載します。確定申告で青色申告※を希望する場合は、「所得税の青色申告承認申請書」などの提出も同時に済ませると便利。開業と同時にインボイス制度（140ページ）の適用を受ける場合は、「適格請求書発行事業者の登録申請書」（142ページ）も提出します。

　提出先は、納税地を所轄する税務署です。原則として納税地は住所地を所轄する税務署ですが、事務所などの所在地が住所地と異なる場合、事務所などの所在地を所轄する税務署を選ぶこともできます。

　「個人事業の開業・廃業等届出書」を提出したら、都道府県税事務所にも「事業開始等申告書」（118ページ）を提出します。地域によっては、市区町村役場へ「事業開始等申請書」の提出が必要な場合もあります。

　なお、「個人事業の開業・廃業等届出書」は、税務署の窓口で入手できるほか、国税庁のホームページからダウンロードすることができます。

Word **青色申告**：税法上有利な特典が受けられる、所得税の申告方法。10万円または55万円・65万円の控除などが受けられます。

「個人事業の開業・廃業等届出書」の記入例

12桁の個人番号（マイナンバー）を記入。書面で提出する場合は、本人確認書類（番号確認と身元確認ができるもの）の提示または写しの添付が必要

事務所や店舗が住所地と別にある場合に記入

「開業」を選ぶ

「事業（農業）所得」を選ぶ

屋号を記入

開業日を記入

青色申告の承認を受ける場合（122ページ）は、「有」を選び、申請書を提出

給与を支払う予定があり136ページの書類を提出する場合は「有」、ない場合は「無」を選ぶ

インボイス制度の適用を受ける場合は、「有」を選び、「適格請求書発行事業者の登録申請書」を提出する

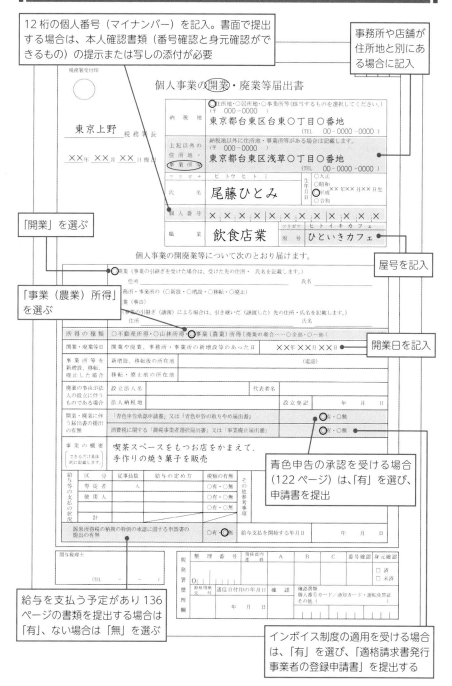

都道府県に個人事業の開始を届け出る
～事業開始等申告書（東京都の場合）など

【税金の種類】個人事業税
【提出先】　　所轄の都道府県税事務所など
【提出期限】　事業開始から15日以内
【対象者】　　法定業種に該当する個人事業主
【手続き名】　都道府県税事務所への個人事業開始申告の手続き

◆ 法定業種は70の業種。ほとんどの事業が該当

　「個人事業税」とは、個人事業のうち、法定業種という法律で定められた業種を行っている個人事業主に課せられる税金です。個人事業税は「事業所得（青色申告特別控除前）」といわれる事業の所得（もうけ）を対象に3～5％の税率で課税されます（税率は事業の種類によって異なります）。なお、個人事業税は、事務所や店舗がある都道府県に納付するため、地方税（203ページ）に属します。

　現在、**法定業種は70の業種があり、ほとんどの個人事業主が該当**します。ただし、法定業種に該当していても、**1年間の事業所得が290万円以下※の場合は、個人事業税を納めなくても済みます**。

◆ 事業の開始を自治体に報告する

　法定業種に該当する個人事業主は、開業したら速やかに「事業開始等申告書」を所管の都道府県税事務所などに提出します（東京都の場合は事業開始の日から15日以内。提出期限は自治体によって異なるので要確認）。

　なお、事業を営む場所（事務所や店舗）が住所地と異なる場合は、市区町村役場への届出も必要です。地域によっては、「事業開始等申告書」を市区町村役場にも提出しなければならない場合があるので、最寄りの都道府県税事務所などに事前に確認しましょう。

　なお、「事業開始等申告書」は、都道府県税事務所などの窓口で入手できるほか、東京都の場合は、東京都主税局のホームページからダウンロードすることができます。

 事業所得が290万円以下：1月に開業した場合は290万円ですが、年の途中で開業した場合は月割で計算した額が基準になります。

個人事業税の法定業種と税率

▼第１種事業（37業種）……税率５％

物品販売業、運送取扱業、料理店業、遊覧所業、保険業、船舶ていけい場業、飲食店業、商品取引業、金銭貸付業、倉庫業、周旋業、不動産売買業、物品貸付業、駐車場業、代理業、広告業、不動産貸付業、請負業、仲立業、興信所業、製造業、印刷業、問屋業、案内業、電気供給業、出版業、両替業、冠婚葬祭業、土石採取業、写真業、公衆浴場業（むし風呂等）、電気通信事業、席貸業、演劇興行業、運送業、旅館業、遊技場業

▼第２種事業（３業種）……税率４％

畜産業、水産業、薪炭製造業

▼第３種事業（28業種）……税率５％

医業、公証人業、設計監督者業、公衆浴場業（銭湯）、歯科医業、弁理士業、不動産鑑定業、歯科衛生士業、薬剤師業、税理士業、デザイン業、歯科技工士業、獣医業、公認会計士業、諸芸師匠業、測量士業、弁護士業、計理士業、理容業、土地家屋調査士業、司法書士業、社会保険労務士業、美容業、海事代理士業、行政書士業、コンサルタント業、クリーニング業、印刷製版業

▼第３種事業（２業種）……税率３％

あんま・マッサージ又は指圧・はり・きゅう・柔道整復その他の医業に類する事業、装蹄師業

個人事業税がかからない業種とは？

　ほとんどの個人事業主が該当する法定業種ですが、ここにはライター、プログラマー、システムエンジニア、通訳業、翻訳業、音楽家、作詞家、作曲家などの業種は含まれていません。ただし、これらの業種であっても仕事の内容が請負業（請負契約によって行われる事業）と判断されると、５％の個人事業税が課せられるケースがあります。また、法定業種に該当しない画家や漫画家であっても、イラストレーターとして仕事をした場合は、その分の仕事についてはデザイン業とみなされて、５％の個人事業税が課税されることもあります。

「事業開始等申告書」（東京都の場合）の記入例

事務所や店舗の住所を記入

届出書の名称や様式は、自治体によって異なる

第32号様式（甲）（条例第26条関係）

受付印

事業開始等申告書（個人事業税）

		新（変更後）	旧（変更前）
事務所（事業所）	所 在 地	東京都台東区浅草 ○丁目○番地 電話 00(0000)0000	電話 (
	名称・屋号	ひといきカフェ	
	事業の種類	飲食店業	

「事業の種類」は具体的に記載

事業主住所が事務所（事業所）所在地と同じ場合は、下欄に「同上」と記載する。
なお、異なる場合で、事務所（事業所）所在地を所得税の納税地とする旨の書類を税務署長に提出する場合は、事務所（事業所）所在地欄に○印を付する。

事業主	住 所	東京都台東区台東 ○丁目○番地 電話 00(0000)0000	電話 (
	フリガナ	ビトウ ヒトミ	
	氏 名	尾藤ひとみ	

個人事業主の住所が事務所や店舗と同じ場合は「同上」と記入

開始・廃止・変更等の年月日	××年××月 ××日	事由等	開始・廃止・※法人設立 その他（ ）
※法人設立	所 在 地		法人名称
	法人設立年月日	年 月 日（既設・予定）	電話番号

「開始」を丸で囲む

東京都都税条例第２６条の規定に基づき、上記のとおり申告します。

事業を開始した日を記入

××年××月××日

氏名 尾藤ひとみ

台東 都税事務所長 殿
支 庁 長

（日本工業規格Ａ列４番）

備考 この様式は、個人の事業税の納税義務者が条例第26条に規定する申告をする場合に用いること。

都・個

※東京都の場合は、事業を開始した日から15日以内に提出

120

「事業開始・変更・廃止申告書」（大阪府の場合）の記入例

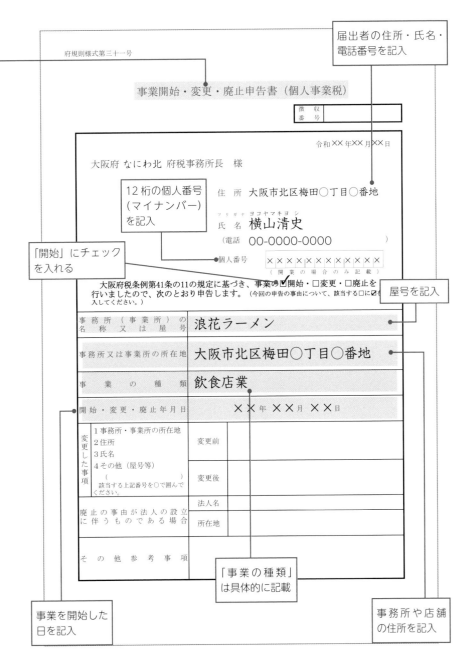

届出者の住所・氏名・電話番号を記入

府規則様式第三十一号

事業開始・変更・廃止申告書（個人事業税）

徴 収 番 号	

令和××年××月××日

大阪府 なにわ北 府税事務所長　様

12桁の個人番号（マイナンバー）を記入

住　所　大阪市北区梅田○丁目○番地

フリガナ　ヨコヤマキヨシ
氏　名　横山清史

（電話　00-0000-0000　　　　　　　）

個人番号　×××××××××××
（開業の場合のみ記載）

「開始」にチェックを入れる

大阪府税条例第41条の11の規定に基づき、事業の☑開始・□変更・□廃止を行いましたので、次のとおり申告します。　（今回の申告の事由について、該当する□に☑を入してください。）

屋号を記入

事務所（事業所）の名称又は屋号	浪花ラーメン	
事務所又は事業所の所在地	大阪市北区梅田○丁目○番地	
事　業　の　種　類	飲食店業	
開始・変更・廃止年月日	××年　××月　××日	
変更した事項	1事務所・事業所の所在地 2住所 3氏名 4その他（屋号等）（　　　） 該当する上記番号を○で囲んでください。	変更前	
		変更後	
廃止の事由が法人の設立に伴うものである場合	法人名	
	所在地	
そ　の　他　参　考　事　項		

「事業の種類」は具体的に記載

事務所や店舗の住所を記入

事業を開始した日を記入

事業を開始した日を記入

※大阪府の場合は、開業した日または事業所を設けた日から2か月以内に申告

確定申告で青色申告を希望する
～所得税の青色申告承認申請書

【税金の種類】所得税
【提出先】　　納税地の所轄税務署
【提出期限】　開業の日から2か月以内
【対象者】　　青色申告を希望する人
【手続き名】　所得税の青色申告承認申請手続

◆ 確定申告で青色申告を希望する場合の手続き

　確定申告（212ページ）のときに「青色申告」を希望する場合の手続きです。青色申告とは、帳簿書類（174ページ）を整理して記帳することで、税法上有利な特典が受けられる所得税の申告方法（216ページ）。青色申告を選べば簡易式簿記の申告で10万円、複式簿記の申告では55万円または65万円の控除などが受けられます。そのほか、「青色事業専従者給与に関する届出書」（124ページ）を提出することで、家族に支払った給与を必要経費にできるなどのメリットがあります。

　青色申告は通常の申告（白色申告※）と比べると、帳簿への記入はやや複雑ですが、お金や取引の動きを正確に記録することで、経営上の問題点や業績を把握しやすいという利点もあります。

◆ 開業の日から2か月以内に提出する

　青色申告の承認を受ける場合は、開業の日から2か月以内（1月1日〜1月15日に開業した場合は3月15日まで）に、納税地を所轄する税務署に「所得税の青色申告承認申請書」を提出します。

　提出期限に遅れると、開業年度に青色申告が適用されなくなるので注意しましょう。

　なお、「所得税の青色申告承認申請書」は、税務署の窓口で入手できるほか、国税庁のホームページからダウンロードすることができます。

 白色申告：青色申告のように複式簿記による記帳を行なう必要がない、所得税の申告方法。青色申告決算書の代わりに、記入がより簡単な「収支内訳書」という書類を提出します。

「所得税の青色申告承認申請書」の記入例

職業の内容を
具体的に記入

事務所や店舗が
住所地と別にあ
る場合に記入

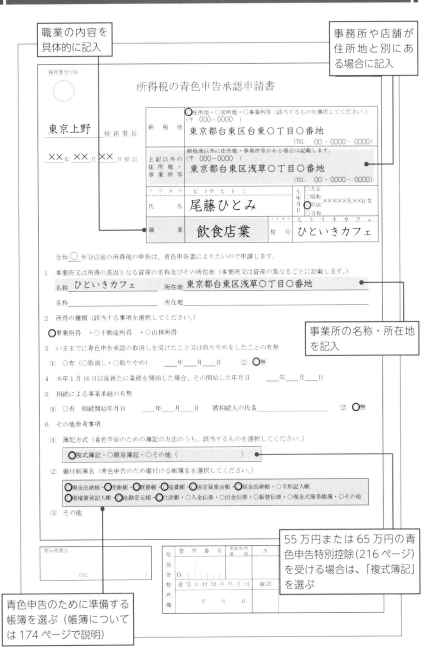

税務署受付印

所得税の青色申告承認申請書

東京上野 税 務 署 長

××年 ××月 ××日提出

納 税 地	○住所地・○居所地・○事業所等（該当するものを選択してください。） （〒 000−0000 ） 東京都台東区台東○丁目○番地 (TEL 00−0000−0000)
上記以外の住所地・事業所等	納税地以外に住所地・事業所等がある場合は記載します。 （〒 000−0000 ） 東京都台東区浅草○丁目○番地 (TEL 00−0000−0000)
フリガナ ビトウ ヒトミ 氏 名 尾藤ひとみ	生年月日 ○大正 ○昭和 ○平成 ○令和 ××年××月××日生
職 業 飲食店業	フリガナ ヒトイキ カフェ 屋 号 ひといきカフェ

令和○年分以後の所得税の申告は、青色申告書によりたいので申請します。

1 事業所又は所得の基因となる資産の名称及びその所在地（事業所又は資産の異なるごとに記載します。）

名称 ひといきカフェ 所在地 東京都台東区浅草○丁目○番地

名称_____ 所在地_____

事業所の名称・所在地
を記入

2 所得の種類（該当する事項を選択してください。）

○事業所得 ・○不動産所得 ・○山林所得

3 いままでに青色申告承認の取消しを受けたこと又は取りやめをしたことの有無

(1) ○有（○取消し・○取りやめ） ___年___月___日 (2) ○無

4 本年1月16日以後新たに業務を開始した場合、その開始した年月日 ___年___月___日

5 相続による事業承継の有無

(1) ○有 相続開始年月日 ___年___月___日 被相続人の氏名_____ (2) ○無

6 その他参考事項

(1) 簿記方式（青色申告のための簿記の方法のうち、該当するものを選択してください。）

○複式簿記・○簡易簿記・○その他（ ）

(2) 備付帳簿名（青色申告のため備付ける帳簿名を選択してください。）

○現金出納帳・○売掛帳・○買掛帳・○経費帳・○固定資産台帳・○預金出納帳・○手形記入帳
○債権債務記入帳・○総勘定元帳・○仕訳帳・○入金伝票・○出金伝票・○振替伝票・○現金式簡易帳簿・○その他

(3) その他

関与税理士

(TEL)

税務署整理欄	整 理 番 号		関係部門連絡	A
	0			
	通 信 日 付 印 の 年 月 日	確 認		
	年 月 日			

55万円または65万円の青
色申告特別控除（216ページ）
を受ける場合は、「複式簿記」
を選ぶ

青色申告のために準備する
帳簿を選ぶ（帳簿について
は174ページで説明）

123

家族に支払った給与を必要経費にする
～青色事業専従者給与に関する届出書

【税金の種類】所得税
【提出先】　　納税地の所轄税務署
【提出期限】　専従者が働き始めてから2か月以内
【対象者】　　家族を青色事業専従者にする人
【手続き名】　青色事業専従者給与に関する届出手続

◆ 青色申告をしていれば家族の給与も必要経費にできる

　事業がまだ軌道に乗らない開業したばかりの段階では、人を雇い入れることが難しく、働き手として家族の力を借りなければならないことが少なくありません。「青色事業専従者給与に関する届出手続」は、そんな人達の負担を軽減し、青色事業専従者給与額を必要経費に算入するための手続きです。

　青色事業専従者とは、青色申告を行う個人事業主と「生計を一にしている※」配偶者や15歳以上（その年の12月31日現在）の親族で、年間6か月を超える期間その事業に専属的な立場で従事している人のことです。青色申告をしていれば、彼らに支払った給与の全額を必要経費にすることができます。

　「青色事業専従者給与に関する届出書」の提出期限は、専従者が働き始めてから2か月以内。1月1日～1月15日に働き始めたときは、3月15日までとなります。

　なお、青色事業専従者がいれば当然給与を支払うことになるので、「給与支払事務所等の開設届出書」（130ページ）も作成して、いっしょに提出しておきましょう。

　「青色事業専従者給与に関する届出書」は、税務署の窓口で入手できるほか、国税庁のホームページからダウンロードすることができます。

Word 生計を一にする：日常の生活の資をともにすること。簡単にいえば、家計が同じであるということです。同居別居は問われません。

「青色事業専従者給与に関する届出書」の記入例

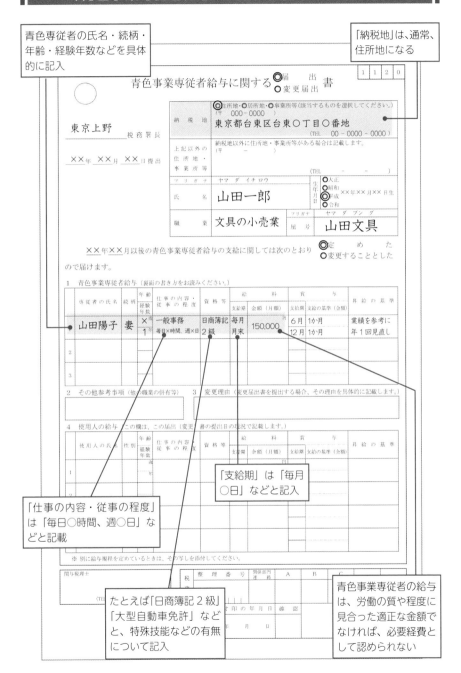

青色専従者の氏名・続柄・年齢・経験年数などを具体的に記入

「納税地」は、通常、住所地になる

青色事業専従者給与に関する ◉届　出　書
　　　　　　　　　　　　　　　○変更届出書

1 1 2 0

納税地	◉住所地・○居所地・○事業所等(該当するものを選択してください。) (〒 000-0000) 東京都台東区台東○丁目○番地 (TEL 00-0000-0000)

東京上野 _____ 税務署長

××年 ××月 ××日提出

上記以外の 住　所　地・ 事業所等	納税地以外に住所地・事業所等がある場合は記載します。 (〒 　- 　) (TEL 　- 　- 　)

フリガナ	ヤマ ダ イチロウ		生 年 月 日	○大正 ○昭和 ◉平成 ××年××月××日生 ○令和
氏　名	山田一郎			
職　業	文具の小売業	フリガナ	ヤマ ダ ブング	
		屋号	山田文具	

××年××月以後の青色事業専従者給与の支給に関しては次のとおり ◉定　め　た
　　　　　　　　　　　　　　　　　　　　　　　　　　　　　　　　○変更することとした
ので届けます。

1　青色事業専従者給与（裏面の書き方をお読みください。）

専従者の氏名	続柄	年齢 経験 年数	仕事の内容・ 従事の程度	資格等	給　　料		賞　　与		昇給の基準
					支給期	金額（月額）	支給期	支給の基準（金額）	
山田陽子	妻	×× 1年	一般事務 毎日×時間、週×日	日商簿記 2級	毎月 月末	150,000 円	6月 12月	1か月 1か月	業績を参考に 年1回見直し
2									
3									

2　その他参考事項（他の職業の併有等）　　3　変更理由（変更届出書を提出する場合、その理由を具体的に記載します。）

4　使用人の給与（この欄は、この届出（変更）書の提出日の現況で記載します。）

使用人の氏名	性別	年齢 経験 年数	仕事の内容・ 従事の程度	資格等	給　　料		賞　　与		昇給の基準
					支給期	金額（月額）	支給期	支給の基準（金額）	
1									

※ 別に給与規程を定めているときは、その写しを添付してください。

「仕事の内容・従事の程度」は「毎日○時間、週○日」などと記載

「支給期」は「毎月○日」などと記入

たとえば「日商簿記2級」「大型自動車免許」などと、特殊技能などの有無について記入

青色事業専従者の給与は、労働の質や程度に見合った適正な金額でなければ、必要経費として認められない

関与税理士 (TEL 　- 　- 　)	税 務 署 整 理 欄	整理番号		関係部門 連絡	A	B	C
		0					

125

開業のために必要な
許認可や申請を受ける

◆ 許認可を受けなければ始められない事業がある

　個人事業のなかには、**事業を始める前に行政の「許認可」を受けなけれ
ばならない業種**もあります。

　たとえば飲食店を開く場合、保健所に営業許可の申請をして「飲食店営
業許可」を受けなければなりません。また、飲食店は、1店舗につき必ず
一人、「食品衛生責任者※」も置かなければならず、深夜0時以降、お酒
を中心としたメニューで営業したい場合は「深夜における酒類提供飲食店
営業 営業開始届出書」、接待を伴う場合は「風俗営業許可」を警察署に提
出する必要もあります。

　古着屋やリサイクルショップなどを開業する場合、メルカリなどで中古
品を販売する場合は、警察署に届け出て「古物商許可証」を取得しなけれ
ばなりません。金券のネットショップなどを開業し、商品券・乗車券・コ
ンサートチケットなどの金券類を販売するときもこの許可が必要です。自
宅の空き部屋などを貸す、いわゆる「民泊」を始めるときは「旅館業営業
許可」を受けなければなりません。ただし、民泊は年間180日以内の実施
であれば許可は不要になります。

　これらの許認可を受けずに営業をすると、事業者は営業停止や罰金など
のペナルティを受けることになるので、事業がその対象になる場合は、該
当する行政機関の窓口で所定の手続きをしましょう。

　なお、許認可を受けるための窓口や申
請手続きの方法は、業種や地域によって
異なります。必要な書類などをそろえて
提出しても、**許認可が下りるまでに時間
がかかる場合もある**ので、開業予定日に
間に合わなくならないように事前相談の
際に確認しておきましょう。

Word **食品衛生責任者**：保健所で半日程度の講習を受ければ、取得することができます。調理師、栄
養士、製菓衛生師の資格を取得していれば、講習を受けなくてもこの資格を得られます。

許認可が必要な主な業種と届出先

主な業種	許可・届出	行政窓口
飲食店、弁当・惣菜販売店、居酒屋、カフェ、喫茶店（カフェ）など	飲食店営業許可	保健所
菓子・パン・あん類製造	菓子製造業許可	保健所
古着屋、リサイクルショップ、古書店、金券ショップ、インターネットでの中古販売など	古物商許可	警察署
深夜営業の飲食店	深夜における酒類提供飲食店営業 営業開始届出書	警察署
キャバレーやナイトクラブなど接待を伴う飲食店、麻雀店、ゲームセンターなど	風俗営業許可	警察署
たばこ販売店	製造たばこ小売販売業許可	日本たばこ産業
薬局	薬局開設許可（都道府県ごとに設置基準が設けられている）	保健所
酒類販売店	酒類販売業免許	税務署
理髪店／美容院	理容所開設届出／美容所開設届出	保健所
ホテル・旅館業、民泊業	旅館業営業許可	保健所
建設業	建設業許可	各地方整備局等
不動産仲介業	宅地建物取引業免許	各地方整備局等
探偵業	探偵業の開始届出書	警察署
個人タクシー	一般乗用旅客自動車運送事業許可	運輸局
トラック運送業	一般貨物自動車運送事業経営許可（軽トラック運送業の場合は、貨物軽自動車運送事業経営届出）	運輸局
人材派遣業	労働者派遣事業許可	都道府県労働局

※許可・届出の名称は自治体によって異なる場合があります。

Check! 取り扱う食材によっては、特別な許可が必要

　営業許可を取得したからといって、お客様に何を提供してもよいわけではありません。取り扱う食材によって、特別な許可が必要な場合もあります。たとえば、未処理のふぐを調理、加工、販売、貯蔵するときは、保健所に「ふぐ取扱所認証申請書」を提出しなければなりません。

（※許可業種のみ営業する場合の記入例。実際の書類は複数枚あります）

あて名は、所轄の保健所長

「新規」を丸で囲む

申請年月日を記入

第9号様式（第18条関係）　　　　　　　　（表）

【許可・届出共通】

$\times\times$ 年 $\times\times$ 月 $\times\times$ 日

整理番号：
※申請者・届出者

東京都○○保健所長　殿

「第55条第1項」を丸で囲む

営業許可申請書・営業届　（新規、継続）

申請者の電話番号・住所・氏名・生年月日などを記入

（第55条第1項・第57条第1項）の規定に基づき、次のとおり関係書類を提出します。
この書類は「官民データ活用推進基本法」の目的に沿って、原則オープンデータとして公開します。
申請者又は届出者の氏名等のオープンデータに不都合がある場合は、次の欄にチェックしてください。（チェック欄 ✓ ）

申請者・届出者情報	郵便番号：000-0000　　電話番号：00-0000-0000		FAX番号：00-0000-0000
	電子メールアドレス：XXXXXX@XXXX.jp		法人番号：
	申請者・届出者住所　※法人にあっては、所在地		
	東京都台東区台東○丁目○番地		
	（ふりがな）　びとう　ひとみ		（生年月日）
	申請者・届出者氏名　※法人にあっては、その名称及び代表者の氏名		
	尾藤ひとみ		$\times\times$ 年 $\times\times$ 月 $\times\times$ 日生

営業施設の電話番号・所在地・名称などを記入

営業施設情報	郵便番号：000-0000　　電話番号：00-0000-0000		FAX番号：00-0000-0000	
	電子メールアドレス：XXXXXX@XXXX.jp			
	施設の所在地			
	東京都台東区台東○丁目○番地			
	（ふりがな）ひといき　かふぇ			
	施設の名称、屋号又は商号			
	ひといきカフェ			
	（ふりがな）びとう　ひとみ	資格の種類	食鳥・食肉・調・製・栄・船舶・と畜・食鳥	
	食品衛生責任者の氏名 ※令和◯◯以降に◯◯又は◯◯の資格を取得する者を除く	受講した講習会	都道府県知事等の講習（◯◯と認める場合を含む。）	
	尾藤ひとみ		講習会名称　東京都 $\times\times$ $\times\times$ 月 $\times\times$ 日	
	主として取り扱う食品、添加物、器具又は容器包装	自由記載		
	調理食品			
	自動販売機の型番	業態		
		カフェ		
	※引き続き営業許可を受けようとする場合に限る。 ただし、複合型そうざい製造業、複合型冷凍食品製造業の場合は、新規の場合を含む。 □ HACCPに基づく衛生管理 □ HACCPの考え方を取り入れた衛生管理			
業種情報に応じた	指定成分等含有食品を取り扱う施設			□
	輸出食品取扱施設 ※この申請等	の要件確認等のために使用します。		□
営業届出	1		備考	
	2			
	3			
担当者	（ふりがな）		電話番号	
	担当者氏名			

食品衛生責任者の氏名を記入

「申請の手引」を参照して、営業施設で主として取り扱う食品を記入

業態を記入

保健所収受印	料金収納済印	手数料印

食品衛生責任者の養成講習会を受講した場合は「都道府県知事等の講習会」を丸で囲み、受講した講習会の名称（都道府県名等）と受講年月日を記入

届出手続きの担当者が申請者と同じ場合は記入不要

※手続きを始める前に、必ず保健所に相談すること。営業許可申請書（都道府県の福祉保健局のホームページからダウンロード可能）などの必要書類は、施設完成予定日の10日くらい前までに提出しましょう。

「古物商許可申請書」の記入例

（※実際の書類は複数枚あります）

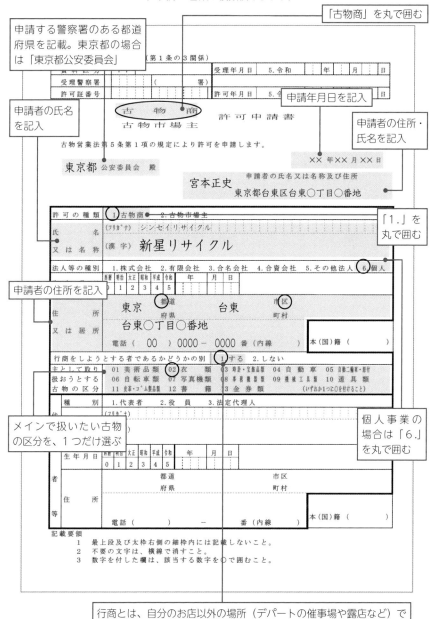

「古物商」を丸で囲む

申請する警察署のある都道府県を記載。東京都の場合は「東京都公安委員会」

申請者の氏名を記入

申請年月日を記入

申請者の住所・氏名を記入

「1.」を丸で囲む

申請者の住所を記入

メインで扱いたい古物の区分を、1つだけ選ぶ

個人事業の場合は「6.」を丸で囲む

行商とは、自分のお店以外の場所（デパートの催事場や露店など）で古物営業をすること。該当する場合は「1.」を丸で囲む

※古物商許可申請書は、警察署で入手できるほか、申請する都道府県のホームページからダウンロード可能です。

従業員に給与を支払うことになったら……
～給与支払事務所等の開設届出書

【税金の種類】源泉所得税
【提出先】　　給与支払事務所等の所在地の所轄税務署
【提出期限】　従業員を雇ってから1か月以内
【対象者】　　従業員を雇うことになった人、家族を青色事業専従者にしている人
【手続き名】　給与支払事務所等の開設の届出

◆ 家族やアルバイトに給与を支払うための手続き

　人を雇ったら、当然ながら従業員に給与を支払わなければなりません。「給与支払事務所等の開設の届出」は、個人事業主が**アルバイト**※や**パート**※**などの従業員に給与を支払うための手続き**です。家族を青色事業専従者（124ページ）としたときも、この手続きが必要になります。

　給与支払事務所とは、従業員を雇い入れたり、家族を青色事業専従者にして給与を支払っている事業者のことを指します。給与支払事務所になったら、その事業主には従業員に支払う給与などから所得税などを天引きして、本人の代わりに税金を納める義務が生じます（186ページ）。

　従業員を雇い入れた場合、事業主は従業員を雇うようになった日から1か月以内に、「給与支払事務所等の開設届出書」を所轄の税務署に提出します。ただし、すでに提出している「個人事業の開業・廃業等届出書」（116ページ）に、従業員を雇い入れている旨を記入している場合、この届出書を出す必要はありません。

　その後、事務所や店舗を移転したり、従業員が辞めて給与を支払う必要がなくなったら、1か月以内に同じ届出書を所轄の税務署に提出します。その際は届出書の見出しにある「移転」または「廃止」を丸で囲みます。

　なお、「給与支払事務所等の開設届出書」は、税務署の窓口で入手できるほか、国税庁のホームページからダウンロードすることができます。

従業員

Word **アルバイトとパート**：前者は学生やフリーター、後者は主婦というイメージで便宜的に使い分けられていますが、法律的にはどちらも「パートタイム労働者」で違いはありません。

「給与支払事務所等の開設届出書」の記入例

あて名は、給与支払事務所等の所在地の所轄税務署長

「開設」を丸で囲む

12桁の個人番号（マイナンバー）を記入

届出者の住所または事務所の所在地を記入

「開業又は法人の設立」にチェックを入れる

「従事員」の欄に、給与を支払う人員数を記入

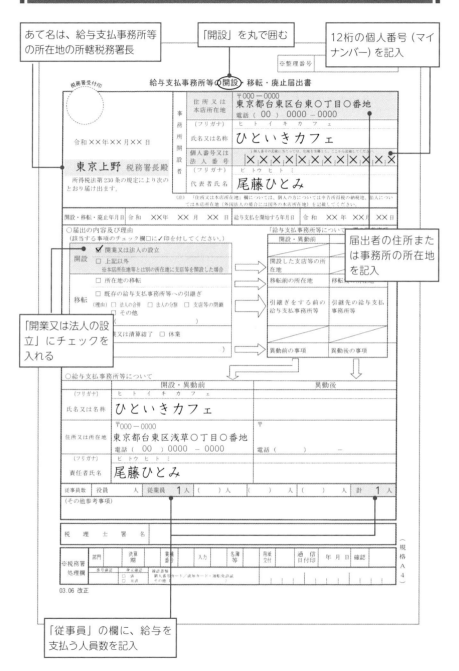

従業員に配偶者や扶養家族の状況を申告してもらう

〜給与所得者の扶養控除等（異動）申告書

【税金の種類】 源泉所得税
【提出先】 事業主が７年間保存する
【提出期限】 最初の給与支払日まで
【対象者】 採用された従業員全員
【手続き名】 給与所得者の扶養控除等の（異動）申告

◆ 給与から天引きする所得税を算出するための書類

　従業員に配偶者や扶養家族の状況を申告してもらうための書類です。従業員を採用したら、扶養家族の有無にかかわらず、従業員本人にこの「給与所得者の扶養控除等（異動）申告書」を渡して必要事項を記入してもらい、最初の給与支払時までに提出してもらいます。この申告書は事業主が７年間保存します。

　従業員にこの申告書を提出してもらったら、<mark>給与から天引きする所得税の一覧表である「給与所得の源泉徴収税額表」（160 ページ）の「甲」欄を適用して源泉所得税※の計算をします</mark>（186 ページ）。この申請書の提出がない場合は、天引きする所得税は税額の高い「乙」欄の適用になります。

　申告書に書かれた内容は、従業員の所得税の金額を確定する「年末調整」（190 ページ）の際に改めて確認します。年内に記載事項の変更があった場合は、その都度、訂正をして提出してもらいましょう。

　この書類にある「源泉控除対象配偶者」とは、事業主本人の合計所得金額が 900 万円以下で、婚姻関係のある配偶者（内縁関係は認められません）の合計所得金額が 95 万以下の人（配偶者の収入が給料だけの場合、年内の給与総額が 150 万円以下であれば該当します）をいいます。合計所得金額とは、その年の所得の合計（所得控除前）のことです（206 ページ）。

　なお、従業員が２か所以上から給与の支払いを受けている場合、「給与所得者の扶養控除等（異動）申告書」はそのうちの１か所にしか提出することができません。

　「給与所得者の扶養控除等（異動）申告書」は、税務署の窓口で入手できるほか、国税庁のホームページからダウンロードすることができます。

 源泉所得税：給与などを支払う事業主が、その支払いのたびに支払金額から差し引いて、国に納付しなければならない税金です。これに反すると罰金が適用されます。

「給与所得者の扶養控除等（異動）申告書」の記入例

給与を支払う者（事業主）の氏名を記入

事業主の12桁の個人番号（マイナンバー）を記入

従業員に氏名・個人番号（マイナンバー）・住所・生年月日・世帯主の氏名・世帯主との続柄・配偶者の有無などを記入してもらう

事業主の住所を記入

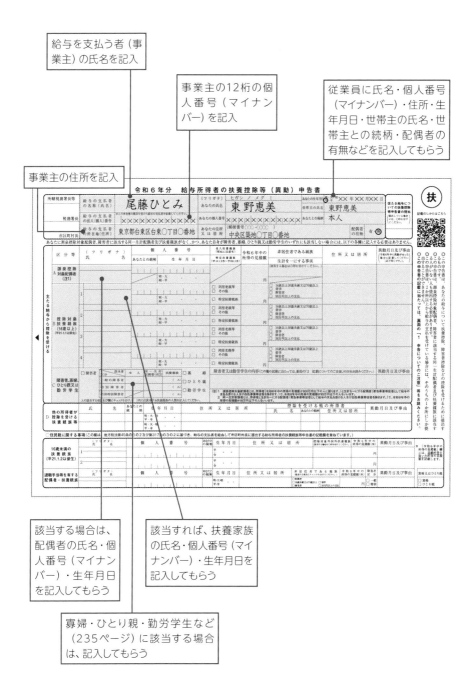

該当する場合は、配偶者の氏名・個人番号（マイナンバー）・生年月日を記入してもらう

該当すれば、扶養家族の氏名・個人番号（マイナンバー）・生年月日を記入してもらう

寡婦・ひとり親・勤労学生など（235ページ）に該当する場合は、記入してもらう

従業員に支払う給与などから源泉所得税を天引きして納付する

◆ 従業員の代わりに所得税などを納付する義務

　アルバイトやパートなどの従業員を雇って給与などを支払うことになったら、事業主には「源泉所得税」を徴収する義務が生じます。給与などから天引きした源泉所得税は、原則として給与などを支払った翌月10日までに事業者が税務署に納めます。例外として、源泉所得税の納付を年2回にする「源泉所得税の納期の特例の承認に関する申請」があります。これについては136ページで説明します。

　源泉所得税は、国税庁のホームページに掲載されている「給与所得の源泉徴収税額表」（160ページ）をもとに算出し、期日までに納付の手続きを済ませましょう。納付期日を過ぎてしまうと、不納付加算税（納付額の5〜10％）というペナルティが課せられるので、忘れないようしてください。

◆ フリーランスに支払う報酬も源泉徴収する

　源泉徴収※の対象になるのは、従業員の給与だけではありません。税理士や社会保険労務士への報酬、ライターへの原稿料、デザイナーへのデザイン料、専門家に講演を依頼したときの講演料など、**特定の個人事業主への支払いについても源泉徴収をする必要があります**（ただし、相手が法人の場合は、原則として源泉徴収の義務はありません）。

　源泉徴収税額は、所得税額（10％）に復興特別所得税額（源泉徴収される所得税額の2.1％）を上乗せして計算するのが基本です（計算方法は報酬の種類によって多少異なる場合があります）。源泉徴収の税額の内訳については208ページで説明します。

　源泉徴収される対象は、右の表にあげたとおりです。

Word **源泉徴収**：給与などから天引きした所得税などを、事業者が本人に代わって納付する制度。毎月の給与から源泉徴収する税額の計算方法は、186ページで説明します。

源泉徴収される主な対象

(1) 原稿料、講演料、デザイン料など

(2) 弁護士、公認会計士、司法書士等へ払う報酬

(3) 社会保険診療報酬支払基金が支払う診療報酬

(4) プロ野球選手、プロサッカー選手、モデル等に支払う報酬

(5) 芸能人や芸能プロダクションを営む個人に支払われる報酬

(6) 宴会等で接待を行うコンパニオンへ支払われる報酬

(7) 契約金など役務の提供を約することにより一時に支払う契約金

(8) 広告宣伝のための賞金や馬主に支払う競馬の賞金

◆ 源泉所得税の納付書と納付方法

源泉所得税を納付するには、税務署から郵送される納付書（税務署に行けば手に入ります）を使う、e-Tax（電子申告）を使って口座から自動で引き落とす、「国税クレジットカードお支払サイト」を利用してクレジットカードで納付するなどの方法があります。金融機関や税務署窓口に行く手間や時間、手数料などが異なるので、自分に合った方法を選びましょう。

徴収した源泉所得税は年末に調整する

年末調整（190ページ）では、個々の従業員の1年間の給与の合計額をもとに計算し、納めるべき税額を割り出します。この時点で、すでに天引きしていた源泉所得税の年間合計額を比較し、納めるべき税額が毎月の徴収額よりも少なかった場合は、不足分を差し引いてその年の最後の給与を支払います。反対に、徴収額が多すぎた場合は、納めすぎた分を最後の給与に加算して支払います。

源泉所得税の納付を年2回にする
～源泉所得税の納期の特例の承認に関する申請書

【税金の種類】源泉所得税
【提出先】　　給与支払事務所等の所在地の所轄税務署
【提出期限】　提出した日の翌月に支払う給与から適用
【対象者】　　常時10人未満の従業員を雇っくいる人
【手続き名】　源泉所得税の納期の特例の承認に関する申請

◆ 毎月の納付が年2回になる特例を受ける

　従業員の給与から天引きした源泉所得税は、原則として給与などを実際に支払った月の翌月の10日までに国に納付しますが、従業員が常時10人未満の場合は、源泉所得税の納付を半年ごとにまとめて納めることができます。ただし、税理士などの士業以外の外注先へ支払った報酬、たとえばライターへの原稿料のような個人事業主への支払いについての源泉徴収は、この特例を適用できないので、毎月納付が必要になります。

　源泉所得税の納付を年2回にするためには、「源泉所得税の納期の特例の承認に関する申請書」を所轄税務署に提出します。

　年2回の納付期限は、7月と1月。1月から6月までに支払った給与から天引きした源泉所得税は7月10日、7月から12月までの源泉所得税は翌年1月20日が納付期限となります。

　源泉所得税の納付を年2回にする特例は、常時10人未満の従業員を雇っている小規模事業者を対象とした制度です。開業後の納付事務の負担を軽くするために提出しておくといいでしょう。納付の回数が少なくなるのは、忙しい事業主にとって大きなメリットですが、従業員が増えて常時10人以上になったら、「源泉所得税の納期の特例の要件に該当しなくなったことの届出書」を提出し、毎月納付をしなければなりません。

　なお、「源泉所得税の納期の特例の承認に関する申請書」は、税務署の窓口で入手できるほか、国税庁のホームページからダウンロードすることができます。

Point **行政書士の源泉徴収**：行政書士は士業の一つですが、例外として源泉徴収は不要で、請求書の金額を報酬として支払います。

「源泉所得税の納期の特例の承認に関する申請書」の記入例

納税地の住所を記入

源泉所得税の納期の特例の承認に関する申請書

個人事業の場合は記入の必要なし

申請日前6か月間の各月末の人員と、各月の給与の支給金額を記入。開業前や直後に提出する場合、支給人員と支給額は空欄のままでかまわない

事業主の住所と、給与支払事務所等の住所が異なる場合に記入

給与の支給人員は、常時10人未満でなければならない

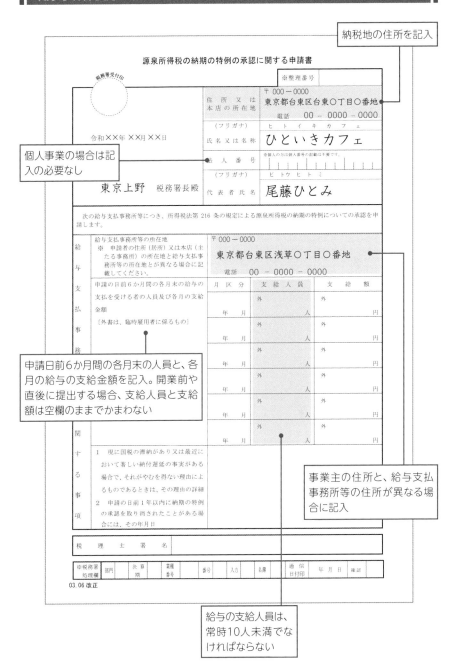

個人事業主が知っておくべき
消費税の基礎知識

◆ 消費税は、支払う人と納める人が異なる税金

　個人事業主は、原則として開業から2年間、消費税の納付が免除されていますが、インボイス制度（140ページ）の適用を受ける場合は消費税を納めることになるので、そのしくみについて理解しておく必要があります。

　消費税の課税対象になるのは、小売店が物品を販売したり、飲食店が食べ物や飲み物を提供したときの代金です。また、サービスや技術を提供したときに得る報酬にも消費税がかかります。

　消費税は取引のたびに、その価格に上乗せされてかかるものです。それを負担するのは、製品やサービスを消費する人、つまりその提供を受けた人ですが、消費税を納めるのは製品やサービスを提供した事業者になります。消費税が「間接税」と呼ばれるのは、税金を支払う人と納める人が異なるためです。

　言い換えれば、事業者にとって消費税は「お客様から一時的に預かっている税金」です。また同時に、事業者は仕入や備品などの購入の際や、電話料金のようにサービスの提供を受けた際に消費税を支払っているので、消費税の納付は「預かった消費税」と「支払った消費税」の差額を納めるという考え方になります。

　そのため、事業者は所得税の確定申告の場合と同様に、消費税額を自分で計算し、消費税の確定申告をして納税をしなければなりません（242ページ）。

預かった消費税		支払った消費税		納税額
お客様から一時的に預かっているお金	－	仕入や必要経費の支払いの際に支払った消費税	＝	差額を納税する

Point **消費税のかからない必要経費**：従業員の給与や税金の支払いなどは消費税の対象外の取引になります。

　消費税の納付金額は、「課税売上にかかる消費税額」から「課税仕入にかかる消費税額」を差し引いて求めます。課税売上とは、消費税のかからない商品券の売買、個人への住宅の貸付けなどを除いた、消費税の課税対象となる商品やサービスの提供などによる売上のことです。課税仕入は、仕入だけではなく、事業のためにものを購入したり、サービスの提供を受けたときの必要経費（広告宣伝費や通信費、水道光熱費など）の支払いも含みます。

◆ 軽減税率の対象品目を知っておく

　消費税の税率には、標準税率10％と軽減税率8％の2種類があります。

　「軽減税率」とは、消費税が10％に引き上げられたなかで、消費者の負担をやわらげることを目的に導入された制度で、**「酒類・外食を除く飲食料品」** と **「週2回以上発行される定期購読新聞」** は税率が8％に軽減されています。

　ただし、飲食料品であっても、外食や、指定された場所に料理をセッティングして提供するケータリングなどは、軽減税率の対象となりません。一方、テイクアウトや出前・宅配などは軽減税率の対象となります。

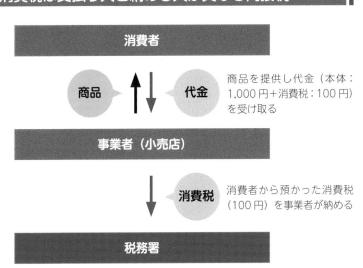

消費税は支払う人と納める人が異なる間接税

消費者

商品 ⇅ 代金 — 商品を提供し代金（本体：1,000円＋消費税：100円）を受け取る

事業者（小売店）

↓ 消費税 — 消費者から預かった消費税（100円）を事業者が納める

税務署

8%の品目と10%の品目を
明らかにするインボイス制度とは?

◆ 個人事業主も課税事業者になって消費税を納める

インボイス制度（正式名称は「適格請求書保存方式」）とは、簡単にいえば、売り手が取引の内容や金額、適用した消費税率（10%または8%）、消費税額などを明記した請求書や領収書などを、発行・保存しておくという制度です。

この請求書を「適格請求書（インボイス）」といい、これを保存しておくことで、仕入側は消費税の仕入税額控除※の適用を受けられます。

事業者には、課税事業者と免税事業者があります（142ページ）。課税事業者は、売上の際に受け取った消費税額から、仕入や経費を支払ったときの消費税額を差し引いて納めます（242ページ）。インボイス制度の登録事業者でなければ、仕入税額控除ができないため、消費税を納める側である企業などは、取引先に適格請求書を求めます。

インボイス制度の適用を受けるには、「適格請求書発行事業者の登録申請書」（142ページ）を管轄地の税務署に提出しなければなりません。この登録申請書を提出すれば自動的に消費税の課税事業者になります。

◆ 求められたら請求書やレシートを提出する

適格請求書発行事業者は、買い手である取引先（課税事業者）から求められたときに適格請求書を交付し、その写しを保存する必要があります。

適格請求書に記載する内容は、適格請求書発行事業者の氏名または名称、登録番号、取引年月日、取引内容（軽減税率の対象品である旨も明記）、税率ごとに合計した対価の額（税抜きまたは税込み）、適用税率、消費税額、書類の交付を受ける事業者（相手先）の氏名または名称などです。

ただし、不特定多数の人に対して販売などを行う小売業や飲食業、タクシー業などの場合は、相手先の氏名や名称の記入を省略することができます。つまり、レシートで対応できるということです。

Word **仕入税額控除**：消費税は売上などにかかる消費税から、仕入や必要経費の支払いなどにかかる消費税額を除き、その差額を納税する。この差し引くことを仕入税額控除という（138ページ）。

適格請求書の例

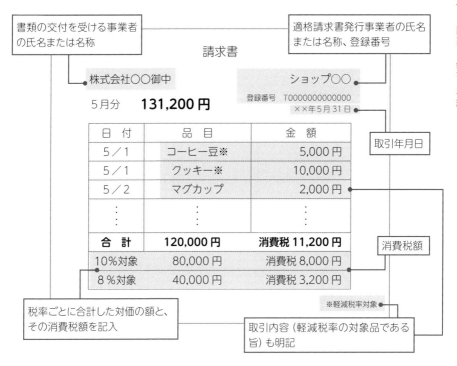

書類の交付を受ける事業者の氏名または名称

適格請求書発行事業者の氏名または名称、登録番号

請求書

株式会社○○御中

ショップ○○

登録番号 T0000000000000

××年5月31日

5月分　**131,200円**

取引年月日

日　付	品　目	金　額
5／1	コーヒー豆※	5,000円
5／1	クッキー※	10,000円
5／2	マグカップ	2,000円
⋮	⋮	⋮
合　計	**120,000円**	**消費税 11,200円**
10％対象	80,000円	消費税 8,000円
8％対象	40,000円	消費税 3,200円

消費税額

税率ごとに合計した対価の額と、その消費税額を記入

※軽減税率対象

取引内容（軽減税率の対象品である旨）も明記

店舗やネットショップなども注意が必要

　インボイス制度の影響を受けるのは、企業から仕事を受託しているフリーランスの個人事業主だけではありません。自分の事業が店舗やネットショップなどの場合も注意が必要です。領収書が必要な企業が購入する場合、インボイスでないと、企業側は支払った消費税を差し引くことができないため、インボイスを発行できないお店では購入しないというケースが考えられるからです。

　なお、インボイス制度導入後6年間は、免税事業者からの仕入についても仕入税額の一定割合を控除できる経過措置が設けられています（2023年10月から2026年9月までは80%、2026年10月から2029年9月までは50%が控除可能）。また、2029年9月までは、1万円未満のものはインボイスでなくても仕入税額控除の対象にできます（売上高5,000万円以下の事業者に限る）。

登録事業者になって
インボイス制度の適用を受ける
～適格請求書発行事業者の登録申請書

【税金の種類】消費税
【提出先】　　納税地の所轄の税務署
【提出期限】　登録を受けた日より適格請求書を発行できる
【対象者】　　適格請求書発行事業者の登録を受けようする人
【手続き名】　適格請求書発行事業者の登録申請手続

◆ インボイスの登録事業者になるための手続き

　個人事業主は、原則として開業から2年間は消費税が免除される「免税事業者」になります。

　しかし、適格請求書発行事業者になってインボイス制度の適用を受けるには、「消費税課税事業者選択届出書」を所轄の税務署に提出して、消費税を納める「課税事業者」にならなければなりません。

　ただし、2029年9月30日までに登録事業者の申請をする場合は、インボイス制度の経過措置としてこの手続きが不要になります。右ページの「適格請求書発行事業者の登録申請書」を所轄の税務署に提出して登録事業者になれば、自動的に課税事業者になります。

　適格請求書発行事業者になると、請求書や領収書などに記載する事業者登録番号（T＋13ケタの数字）が通知されます。取引先はこの登録番号の記載を確認することで、相手が適格請求書発行事業者であることがわかります。適格請求書発行事業者登録を行っている事業者の情報は、国税庁の「適格請求書発行事業者公表サイト」で公表されるため、そこで確認することになります。

　適格請求書は登録を受けた日より発行できるようになるため、最初の取引が行われる前までに手続きを終わらせる必要があります。
「適格請求書発行事業者の登録申請書」は税務署の窓口で入手できるほか、国税庁のホームページからダウンロードすることが可能です。

 消費税がかかるのは、国内で商品を販売したときだけ。国内で仕入を行って輸出販売している場合は、受け取った消費税がゼロとなり、仕入などで支払った消費税が戻ってきます。

第1−(3)号様式

国内事業者用

適格請求書発行事業者の登録申請書

【1／2】

この申請書は、令和五年十月一日から令和十二年九月二十九日までの間に提出する場合に使用します。

収受印	（ フ リ ガ ナ ）	トウキョウトタイトウクタイトウ○チョウメ○バンチ
令和XX年XX月XX日	住 所 又 は 居 所（個人事業者の場合）（法人の場合）本店又は主たる事務所の所在地	（〒000−0000）（法人の場合のみ公表されます）東京都台東区台東○丁目○番地（電話番号 00−0000−0000 ）
申	（ フ リ ガ ナ ）	トウキョウトタイトウクアサクサ○チョウメ○バンチ
請	納 税 地注：税務署所在地ではありません	（〒000−0000）東京都台東区浅草○丁目○番地（電話番号 00−0000−0000 ）
者	（ フ リ ガ ナ ）氏 名（個人事業者の場合）（法人の場合）名 称	ビトウ ヒトミ注：屋号ではありません尾藤ひとみ
	（ フ リ ガ ナ ）（法人の場合）代 表 者 氏 名	
税務署長殿東京上野	法 人 番 号	

申請書に記載した氏名または屋号は、国税庁のホームページで公表される

この申請書に記載した次の事項（ ◉ 印欄 ）は、適格請求書発…ページで公表されます。
（個人事業者の場合）氏名
（法人の場合）名称、本店又は主たる事務所の所在地（人格のない社団等は名称のみ）
なお、上記事項のほか、登録番号及び登録年月日が公表されます。
また、常用漢字等を使用して公表しますので、申請書に記載した文字と公表される文字が異なる場合があります。

下記のとおり、適格請求書発行事業者としての登録を受けたいので、消費税法第57条の2第2項の規定により申請します。

この申請書を提出する時点において、該当する事業者の区分に応じ、□にレ印を付してください。

今年（期）新規開業しましたか

いいえ

はい

事業者区分

2年前又は2事業年前の課税売上高が、・1千万円超・1千万円以下

新規開業者

資本金が1千…今…

□ 課税事業者 ➡ 次葉のBへ

☑ 免税事業者 ➡ 次葉のAへ

□ 新規開業等した事業者

開業と同時に申請書を提出する場合は、「免税事業者」にチェックを入れる

事業を開始した課税期間の初日から登録を受けようとする…載し次葉のBへ	課 税 期 間 の 初 日（個人事業者は本年1月1日、法人は設立日）
…月30日以前の場合の登録年月日…	令和 年 月 日

…初日から登録を受けない課税事業者 ➡ 次葉のBへ

…初日から登録を受けない免税事業者 ➡ 次葉のAへ

税 理 士 署 名

（電話番号 − − ）

※税務署処理欄	整理番号		部門番号		申請年月日	年 月 日	通 信 日 付 印年 月 日	確認
	入 力 処 理	年 月 日	番号確認		身元確認	□ 済□ 未済	確認書類 個人番号カード／通知カード・運転免許証 その他（ ）	
	登 録 番 号	T						

注意 1 記載要領に留意の上、記載してください。
　　 2 税務署処理欄は、記載しないでください。
　　 3 この申請書を提出するときは、「適格請求書発行事業者の登録申請書（次葉）」を併せて提出してください。

※2枚目の「登録要件の確認」欄も忘れずに記入すること

143

棚卸しをして
在庫品を確認する

【税金の種類】所得税
【提出先】 納税地を所轄する税務署
【提出期限】 最初の確定申告の提出期限（3月15日）まで
【対象者】 棚卸資産の評価方法を選択する人
【手続き名】 所得税の棚卸資産の評価方法の届出

◆ 在庫品を確認し、年度末の棚卸資産を把握

　販売目的で保管している在庫品などが、どれくらい残っているのかを実際に確認し、商品や製品の状態を見てチェックしたり、帳簿上に残っている在庫数と照らし合わせる作業を「棚卸し」といいます。

　棚卸しは、1年間の事業活動の総決算。在庫をもつ小売業や製造業の個人事業主にとっては欠かせない仕事です。なぜならば、税金を計算するとき、その年の仕入としてカウントできるのは、その年に売れて売上となったものだけだからです。

　個人事業主が棚卸しをしなければならない時期は、年度末です。12月31日の時点で在庫として残っている商品や製品、仕掛品※、原材料などを「棚卸資産」といいます。

　なお、棚卸資産の金額は、在庫の数量に単価をかければ求めることができます。

$$\boxed{\text{棚卸資産の金額}} \quad = \quad \boxed{\text{在庫の数量}} \quad \times \quad \boxed{\text{在庫の単価}}$$

◆ 帳簿棚卸しと実地棚卸し

　棚卸しの方法には、帳簿上だけで在庫の数を把握する「帳簿棚卸し」と、実際に在庫の数をカウントする「実地棚卸し」があります。商品をパソコンなどで定期的に管理している場合は、帳簿棚卸だけでも数を把握できますが、**在庫品の品質や状態（紛失を含む）を正確に把握するには、実地棚卸しが必要**です。

 仕掛品：製造の途中にある未完成の製品。さらに組立や加工をしたりする必要があることからそのままでは販売できないもの。

実地棚卸しをするには、重複や数えもれなどの間違いがないように、「棚卸票」を用いるのがおすすめです。棚卸票は切り離しができるようにし、一枚を数え終えた商品に張り、もう一枚を集計用として保管。できれば2人が一組になって作業し、検品係（商品を数える人）と集計係（一覧表などに記入する人）を別にするとミスの発生が少なくなります。

棚卸票	棚卸票
日付　年　月　日	日付　年　月　日
品名	品名
品番	品番
数量	数量
備考	備考
記入者	記入者

切り離しができるようにし、一枚を数え終えた商品に貼付し、一枚を集計用として保存。備考欄には、商品の状態などを記入する。

◆ 棚卸資産の評価方法を選ぶ

在庫の数を数えたら、在庫の単価を決めます。

同じ商品であっても仕入価格は1年を通していつも同じとは限らず、また売れた商品がどの時点で仕入れたものかをはっきり区別することはなかなかできません。

そのため、仕入価格の決定には、「原価法」と呼ばれるいくつかの計算方式が認められていて、棚卸資産の種類ごとに、どの評価方法を採用するかを選ぶことができます。

棚卸資産の評価方法を選択する場合は、「所得税の棚卸資産の評価方法の届出書」（147ページの「所得税の減価償却資産の償却方法の届出書」と共通の用紙です）を最初の確定申告の提出期限（3月15日）までに納税地を所轄する税務署に提出します。

なお、この届出を行わなかった場合は、最後に仕入れたときの単価で評価する「最終仕入原価法」が適用されます。そのほかには、商品の種類ごとに総仕入額を出して、総仕入数で割った「総平均法」という原価法などがあります。青色申告者に限っては、原価法で計算された単価と、年末時点での単価を比べて、どちらか低いほうを評価額にできる「低価法」も選択が可能です。届出をせずに最終仕入原価法のままでもとくに問題はありませんが、棚卸資産の評価額を低く抑えると節税につながります。

さまざまな棚卸資産の評価方法

原価法	最終仕入原価法	最後に仕入れたときの単価を使って評価。届出をしなければ、この計算方法が適用される
	売価還元法	売価（小売価格）から逆算して原価を求める計算方法
	個別法	個々の仕入価格で評価する方法
	先入先出法	先に仕入れたものから、日付順に売れていくと考える方法
	総平均法	商品の種類ごとの総仕入額を総仕入数で割って単価を求める方法
	移動平均法	仕入の都度、購入金額と数量で平均単価を計算し、売上単価（原価）とする方法
低価法		上記のいずれかで計算された評価額と、年末時点での単価を比べて、どちらか低いほうを評価額とする方法。青色申告者に限って認められている

●最終仕入原価法で評価額を求める

例）年初にノート100冊を1冊80円で仕入れ、その年の終わりごろに同じノートを1冊90円で50冊仕入れたとする。うち120冊を販売したので、年末の在庫の総数は30冊。これを最終仕入原価法で計算すると…

30冊 （在庫の数量）	×	**90円** （その年の最終仕入単価）	=	**2,700円** （棚卸資産の金額）

Point 棚卸資産の評価方法は、一度選択し届出書を提出すると特別な事情がない限り継続しなければなりません。選択する際は、慎重に検討しましょう。

「所得税の棚卸資産の評価方法の届出書」の記入例
（「所得税の減価償却資産の償却方法の届出書」の記入例）

所得税の棚卸資産の評価方法の届出書は、「所得税の減価償却資産の償却方法の届出書」（148ページ）と共通。いずれか該当する届出を選ぶ

1 1 6 0

所得税の　○棚卸資産の評価方法　○減価償却資産の償却方法　の届出書

東京上野　税務署長

××年　××月　××日提出

最初の確定申告の提出期限（3月15日）までに納税地を所轄する税務署に提出する

	納　税　地	○住所地・○居所地・○事業所等（該当するものを選択してください。） （〒 ○○○ - ○○○○） 東京都台東区台東○丁目○番地 （TEL ○○ - ○○○○ - ○○○○）
	上記以外の住所地・事業所等	納税地以外に住所地・事業所等がある場合は記載します。 （〒 　 - 　 ） （TEL 　 - 　 - 　 ）
フ リ ガ ナ	ヤマ ダ イチロウ	生年月日 ○大正 ○昭和 ○平成 ○令和 ××年××月××日生
氏　　名	山田一郎	
職　　業	文具の小売業	フリガナ ヤマ ダ ブング　屋号 山田文具

棚卸資産の届出では、希望の評価方法を記入する。青色申告者の場合は、「低価法」も選択可能

○棚卸資産の評価方法　○減価償却資産の償却方法　については、次によることとしたので届けます。

1 棚卸資産の評価方法

事 業 の 種 類	棚卸資産の区分	評 価 方 法
文具の小売業	商品または製品	先入先出法による原価法

2 減価償却資産の償却方法

減価償却資産の種類 設 備 の 種 類	構造又は用途、細目	償 却 方 法
⑴ 平成19年3月31日以前に取得した減価償却資産		
⑵ 平成19年4月1日以後に取得した減価償却資産 車両及び運搬具		定率法
工具、器具及び備品		定率法

減価償却資産の償却方法の届出の場合、定額法以外を採用したいときは、減価償却資産の種類ごとに選ぶことができる

3 その他参考事項
⑴ 上記2で「減価償却資産の種類・設備の種類」欄が「建物」の場合
建物の取得年月日 ＿＿年＿＿月＿＿
⑵ その他

関与税理士 （TEL 　 - 　 - 　 ）	税務署整理欄	整 理 番 号	関係部門連絡	A	B	C
		0				
		通 信 日 付 印 の 年 月 日　確認 　　年　月　日				

148ページで説明する減価償却資産に関する項目

147

毎年少しずつ必要経費にする
減価償却という考え方

【税金の種類】所得税
【提出先】　納税地を所轄する税務署
【提出期限】最初の確定申告の提出期限（3月15日）まで
【対象者】　減価償却の償却方法を変更する人
【手続き名】所得税の減価償却資産の償却方法の届出手続

◆ 10万円以上のものは毎年少しずつ必要経費にしていく

　減価償却とは、わかりやすくいうと、**買ったときにすべてを必要経費としないで、毎年少しずつ必要経費として分割する手続き**のことです。

　たとえば配達用の車を180万円で買って商売を始めた場合、180万円を一度に費用に入れると、収益よりも必要経費が増えて、最初の1年が赤字になってしまうことがあります。配達用の車は、1年限りの消耗品ではなく、長年にわたって使うものです。したがって、1年以上継続的に使用する財産（「固定資産」といいます）は、使う年数に応じて少しずつ必要経費として計上していくのが合理的なのです。

　ただし、土地や借地権は、使用しても価値が減るわけではないので、減価償却の対象になりません。また、**使用可能期間が1年未満のものや、取得価額が一つにつき10万円未満のもの**については、購入した年度に全額を消耗品として必要経費にすることができます。

◆ 償却資産の価値は年々減っていく

　事業用に購入した車などは、事業主の資産（財産）なので、年度末には、年度末の金額に評価しなければなりません。

　しかし、180万円で購入した車は、どんなに手入れがされていても買ったときの値段が維持されていくわけではありません。法律に定められた使用可能期間（普通自動車の場合は6年）のなかで、年々少しずつ価値が減っていきます。簡単に考えれば、毎年30万ずつ価値が減っていき、6年で資産としての価値がなくなるということです。

　償却資産※の償却方法は、**取得にかかった金額を使用可能期間で分割し、**

 償却資産：土地や建物以外で、事業用に使用している資産のうち、所得税の計算をする際に減価償却費が必要経費に算入されるもの。

毎年一定の額で減少させていく「定額法」が基本です。特別な届出を税務署にしない限り、毎年一定額の減価償却費を必要経費として計上していくことになります。

これに対して、毎年一定の率で価値を下げていく方式を「定率法」といいます。定率法では、最初の年に必要経費として算入される減価償却費が大きくなり、以降は年々その額が下がっていきます。

減価償却の償却方法を定率法に変更したい場合は、「所得税の減価償却資産の償却方法の届出書」（147ページの「所得税の棚卸資産の評価方法の届出書」と共通の用紙です）を最初の確定申告の提出期限（3月15日）までに納税地を所轄する税務署に提出します。償却方法を定率法に変更しても、最終的な減価償却費は同じですが、毎年の減価償却費に影響を与え、最初のほうの税金を抑えられます。

定額法と定率法のイメージ

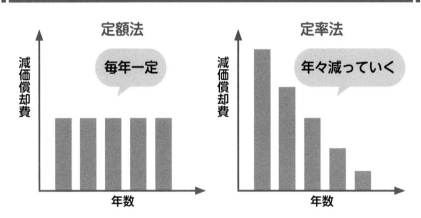

償却資産の申告を忘れずに…

1月1日現在の減価償却資産については、毎年その内容を1月31日までに申告する必要があります（主に建物、車両以外）。減価償却費を必要経費にしている償却資産が150万円以上の場合、申告後に市区町村から送られてくる納税通知書にしたがって「固定資産税（償却資産）」を納めます。

人を雇ったら労働保険に加入する
～労災保険、雇用保険の加入

【保険の種類】労災保険、雇用保険
【提出先】　　所轄の労働基準監督署、所轄のハローワーク
【提出期限】　提出する書類によって異なる
【対象者】　　従業員を雇うことになった人
【手続き名】　労災保険と雇用保険の手続き

◆ 労災保険と雇用保険は、従業員のための労働保険

　「労働保険」とは、労災保険（労働者災害補償保険）と雇用保険を総称する言葉です。

　個人事業で開業し、事業主だけで営業していれば、労災保険の手続きは必要ありませんが、**従業員を一人でも雇い入れたら、業種や規模にかかわらず、労災保険に加入しなければならない**ことになっています。

　雇用保険は、従業員の勤務日数や労働時間によって加入するかしないかが決まります。アルバイトやパートの場合、31日以上継続して雇用の見込みがあり、かつ1週間の労働時間が20時間以上ある場合、雇用保険への加入が必要になります。

◆ 労働保険（労災保険と雇用保険）の手続きの流れ

　人を雇い入れたら、まず「労働保険　保険関係成立届」を所轄の労働基準監督署に添付書類とともに提出します。そして、「労働保険　概算保険料申告書」を提出し、その年度分の労働保険料（労災保険料と雇用保険料の合算。加入日から翌年3月末までに支払われる給与の見込額をもとに計算）を概算保険料として申告・納付します。

　雇用保険に加入する場合は、上記の手続きを済ませたあと、「雇用保険適用事業所設置届」と「雇用保険被保険者資格取得届」を所轄のハローワーク（公共職業安定所）に提出します。雇用保険の手続きには、営業許可証、労働者名簿、出勤簿、賃金台帳（61ページ）などの書類が必要になるので、最寄りのハローワークに確認しましょう。

 労災保険の手続きは、期日までに済ませましょう。事業主が労災保険の加入手続きを怠っていると、遡って保険料が徴収され、あわせて追徴金が課せられます。

労働保険とは？

労働保険 ＝ 労災保険 ＋ 雇用保険

従業員が仕事中や通勤途中にケガをしたり、業務が原因で病気になったり、死亡した場合、従業員やその遺族に対して給付金が支払われる制度。労災保険料は、毎年4月から3月までの保険年度の期間中に支払った賃金総額に、事業の種類に応じて決められた労災保険率をかけて算出。その全額を事業主が負担する。

労働者が仕事を失ったり、病気などの事情で休職して収入を失ったりしたときに、生活の安定や再就職を支援するための制度。雇用保険料は、毎年4月から3月までの保険年度期間中に支払った賃金総額に、事業の種類に応じて決められた雇用保険率をかけて算出。事業主と従業員の間で負担割合が決められている。

労働保険加入の手続き

▼労災保険加入の手続き

「労働保険　保険関係成立届」を所轄の労働基準監督署に提出　→152ページ

【提出期限】
従業員を雇用した日の翌日から10日以内

「労働保険　概算保険料申告書」を所轄の労働基準監督署または都道府県労働局などに提出　→153ページ

【提出期限】
従業員を雇用した日の翌日から50日以内

▼雇用保険加入の手続き

「雇用保険適用事業所設置届」を所轄のハローワークに提出　→154ページ

【提出期限】
従業員を雇用した日の翌日から10日以内

「雇用保険被保険者資格取得届」を所轄のハローワークに提出　→155ページ

【提出期限】
従業員を雇用した月の翌月10日までに

Check!

個人事業主は原則労働保険に加入できない

　労災保険も雇用保険も従業員のみを対象とした保険なので、原則として個人事業主は加入できません。ただし、業種によっては、特別加入制度を利用して労災保険に加入できる場合もあります（最寄りの労働基準監督署に相談してみましょう）。

151

「労働保険　保険関係成立届」の記入例

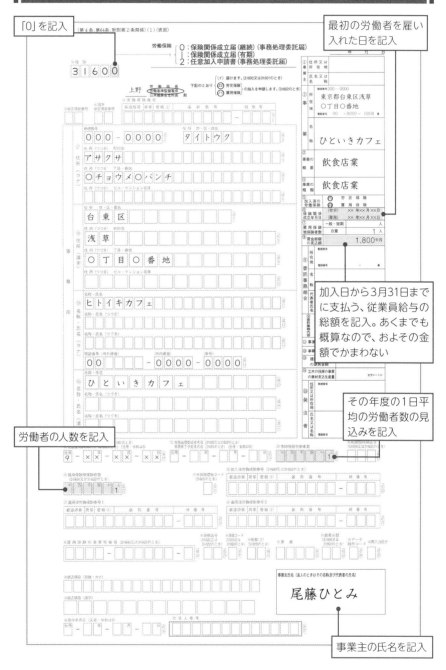

「0」を記入

最初の労働者を雇い入れた日を記入

加入日から3月31日までに支払う、従業員給与の総額を記入。あくまでも概算なので、およその金額でかまわない

その年度の1日平均の労働者数の見込みを記入

労働者の人数を記入

事業主の氏名を記入

※「労働保険　保険関係成立届」「労働保険　概算保険料申告書」は労働基準監督署などで入手できます。

152

「労働保険 概算保険料申告書」の記入例

標準字体 0123456789

様式第6号（第24条、第25条、第33条関係）（甲）(1)

労働保険
概算・増加概算・確定保険料
一般拠出金
申告書

石綿健康被害救済法

継続事業
（一括有期事業を含む。）

提出用

種別 32700

※修正項目番号 ※入力整定コード

あて先 〒102-8307
千代田区九段南1-2-1
九段第3合同庁舎12階

東京労働局
労働保険特別会計歳入徴収官殿

常時使用する従業員の人数と、雇用保険の被保険者数を記入

加入日から3月31日までに支払う、従業員給与の総額を概算で記入

雇用保険分 1800 15.5 27900

労災保険料率と雇用保険料率を足した数字を記入

1年分の労働保険料の概算を記入

21,600

21,600

21,600

事業又は作業の種類 飲食店業

加入している労働保険 （イ）労災保険 （ロ）雇用保険
㉗特掲事業 （イ）該当する （ロ）該当しない

㉙事業 （イ）所在地 台東区浅草○丁目○番地
（ロ）名称 ひといきカフェ

事業主 （イ）住所 台東区台東○丁目○番地
（ロ）名称 ひといきカフェ
（ハ）氏名 尾藤ひとみ

事業主の住所・屋号・氏名を記入

社会保険労務士記載欄

初めて従業員を雇った日を記入

※令和6年度の飲食業などの「一般的な事業」の雇用保険料率は1000分の15.5、小売業や飲食店業の労災保険料率は1000分の3です。労災保険料率は業務の危険度によって異なります。

153

屋号があれば記入する

雇用保険適用事業所設置届

（必ず第2面の注意事項を読んでから記載してください。）

※事業所番号

下記のとおり届けます。

上野 公共職業安定所長 殿

令和 × 年 ○ 月 × 日

（この用紙は、このまま機械で処理しますので、汚さないよう）

帳票種別 　1 2 0 0 1

1. 法人番号（個人事業の場合は記入不要です。）

2. 事業所の名称（カタカナ）
ヒ ト イ キ カ フ ェ

事業所の名称［続き（カタカナ）］

3. 事業所の名称（漢字）
ひ と い き カ フ ェ

事業所の名称［続き（漢字）］

4. 郵便番号
0 0 0 - 0 0 0 0

5. 事業所の所在地（漢字）※市・区・郡及び町村名
台 東 区 浅 草

事業所の所在地（漢字）※丁目・番地
○ 丁 目 ○ 番 地

事業所の所在地（漢字）※ビル、マンション名等

6. 事業所の電話番号（項目ごとにそれぞれ左詰めで記入してください。）
0 0 　 - 0 0 0 0 - 0 0 0 0
市外局番　　市内局番　　　番号

「労働保険　保険関係成立届」を提出し、あらかじめ労働保険番号を入手しておく必要がある

7. 設置年月日
5 - × × × × ×
元号　　年　　月　　日

（3 昭和　4 平成）
（5 令和）

8. 労働保険番号
× × × × × × × × × × × × × ×
府県　所掌　管轄　基幹番号　枝番号

※公共職業安定所記載欄　職

9. 設置区分
（1 当然）
（2 任意）

10. 事業所区分
（1 個別）
（2 委託）

11. 産業分類

12. 台帳保存区分
（1 日雇被保険者のみの事業所）
（2 船舶所有者）

13. 事業主

（フリガナ）タイトウクアサクサ○チョウメ○バンチ
（法人のときは主たる事務所の所在地）
住所　台東区浅草○丁目○番地

（フリガナ）ヒトイキカフェ
名称　ひといきカフェ

（フリガナ）ビトウヒトミ
（法人のときは代表者の氏名）
氏名　尾藤ひとみ

14. 事業の概要
（漁業の場合は漁船の総トン数を記入すること）
飲食店業

17. 常時使用労働者数　　1 人

18. 雇用保険被保険者数
一　般　　1 人
日　雇　　　人

19. 賃金支払関係
賃金締切日　　20 日
賃金支払日　当・翌月末　日

20. 雇用保険担当課名　　課係

15. 事業の開始年月日　令和 × 年 × 月 × 日

16. 事業の廃止年月日　令和　年　月　日

21. 社会保険加入状況
健康保険 厚生年金保険 労災保険

備考

※
所長　次長　課長　係長　係　操作者

（この届出は、事業所を設置した日の翌日から起算して10日以内に提出してください。）

2024. 3

「設置年月日」には、開業後、初めて従業員を雇った日を記入

加入している（する）社会保険・労災保険を丸で囲む

※「雇用保険適用事業所設置届」「雇用保険被保険者資格取得届」はハローワークのホームページからダウンロードができます。

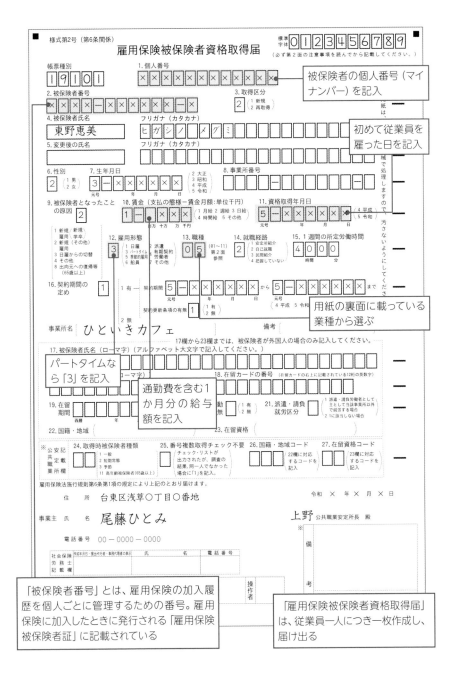

様式第2号（第6条関係）

雇用保険被保険者資格取得届

標準字体 0123456789
（必ず第2面の注意事項を読んでから記載してください。）

帳票種別 19101

1. 個人番号 ××××××××××××
→ 被保険者の個人番号（マイナンバー）を記入

2. 被保険者番号 ××××-××××××-×

3. 取得区分 2（1 新規 2 再取得）

4. 被保険者氏名 東野恵美
フリガナ（カタカナ） ヒガシノ メグミ

5. 変更後の氏名
フリガナ（カタカナ）

6. 性別 2（1 男 2 女）

7. 生年月日 3-□□-□□-□□（元号 年 月 日）（1 明治 2 大正 3 昭和 4 平成 5 令和）

8. 事業所番号 □□□□-□□□□□□-□
→ 初めて従業員を雇った日を記入

9. 被保険者となったことの原因 2（1 新規/新規雇用（学卒） 2 新規雇用（その他） 3 日雇からの切替 4 その他 8 出向元への復帰等（65歳以上））

10. 賃金（支払の態様・賃金月額：単位千円） 1-□□□（1 月給 2 週給 3 日給 4 時間給 5 その他）

11. 資格取得年月日 5-××-××-××（元号 年 月 日）（4 平成 5 令和）

12. 雇用形態 3（1 日雇 2 派遣 3 パートタイム 4 有期契約労働者 5 季節的雇用 6 船員 7 その他）
→ パートタイムなら「3」を記入

13. 職種 05（01〜11）第2面参照
→ 用紙の裏面に載っている業種から選ぶ

14. 就職経路 2（1 安定所紹介 2 自己就職 3 民間紹介 4 把握していない）

15. 1週間の所定労働時間 4000（時間 分）

16. 契約期間の定め 1（1 有 2 無）
契約期間 5-□□-□□-□□（元号 年 月 日）から 5-××-××-××（元号 年 月 日）まで
契約更新条項の有無 1（1 有 2 無）

事業所名 ひといきカフェ

備考

17欄から23欄までは、被保険者が外国人の場合のみ記入してください。

17. 被保険者氏名（ローマ字）（アルファベット大文字で記入してください。）

（ローマ字）

18. 在留カードの番号（在留カードの右上に記載されている12桁の英数字）

19. 在留期間 □□□□（西暦）年 □□月 □□日
→ 通勤費を含む1か月分の給与額を記入

20. 資格外活動 （1 有 2 無）

21. 派遣・請負就労区分 （1 派遣・請負労働者として主として当該事業所以外で就労する場合 2 1に該当しない場合）

22. 国籍・地域

23. 在留資格

※ 公安定載職業所欄

24. 取得時被保険者種類 □□（1 常用 2 有期 3 短時間 4 日雇 11 高年齢被保険者（65歳以上））

25. 番号複数取得チェック不要 □（チェック・リストが出力されたが、調査の結果、同一人でなかった場合に「1」を記入。）

26. 国籍・地域コード □□□（22欄に対応するコードを記入）

27. 在留資格コード □□□（23欄に対応するコードを記入）

雇用保険法施行規則第6条第1項の規定により上記のとおり届けます。

令和 × 年 × 月 × 日

住 所 台東区浅草○丁目○番地

事業主 氏 名 尾藤ひとみ

上野 公共職業安定所長 殿

電話番号 00-0000-0000

社会保険労務士記載欄 | 作成年月日・提出代行者・事業代理者の表示 | 氏 名 | 電話番号

操作者

※ 備考

→ 「被保険者番号」とは、雇用保険の加入履歴を個人ごとに管理するための番号。雇用保険に加入したときに発行される「雇用保険被保険者証」に記載されている

→ 「雇用保険被保険者資格取得届」は、従業員一人につき一枚作成し、届け出る

５人以上雇ったら社会保険に加入する
～健康保険、厚生年金保険の加入

【保険の種類】健康保険、厚生年金保険
【提出先】　　所轄の年金事務所
【提出期限】　加入すべき要件を満たした日から５日以内
【対象者】　　従業員を５人以上雇うことになった人
【手続き名】　健康保険と厚生年金保険の手続き

◆ 条件を満たせばアルバイトやパートも加入対象

　業種や規模によっては、つねに複数のスタッフを雇い入れなければ、運営できない事業もあります。そんな個人事業主に関係してくるのが、従業員のための社会保険、つまり「健康保険」と「厚生年金保険」の加入です。

　一定の業種で５人以上の従業員を雇っている個人事業の場合は、従業員のために健康保険と厚生年金保険に加入することが法律で義務づけられています。事業主が健康保険と厚生年金保険の手続きを行うと、その従業員は健康保険と厚生年金保険の加入者になります。

　従業員がアルバイトやパートであっても、１日または１週間の労働時間および１か月の労働日数が、通常の労働者の４分の３以上あれば、加入させなければなりません。

　適用される主な業種は、右のとおり。ただし、従業員が５人以上であってもクリーニング業、飲食店、デザイン業などは適用義務がありません。

　なお、健康保険と厚生年金保険に加入できるのは、従業員だけです。個人事業主は原則として、医療保険は「国民健康保険」、公的年金は「国民年金」に加入します（36ページ）。

> **適用される主な業種**
>
> 製造業、建設業、鉱業、電気ガス事業、運送業、小売業、金融保険業、教育・学習支援業・情報通信業など

◆ 健康保険と厚生年金保険の手続きの流れ

　従業員を５人以上雇い入れ、厚生年金保険と健康保険に加入すべき要件を満たしたら、その日から５日以内に「健康保険・厚生年金保険　新規適

Word 　**介護保険料**：従業員が40歳以上65歳未満の場合は、健康保険料にプラスして「介護保険料」を毎月の給与から天引きします。

用届」と「健康保険・厚生年金保険　被保険者資格取得届」を所轄の年金事務所の窓口に提出します（郵送、電子申請も可能）。

厚生年金保険と健康保険の保険料は、事業主と労働者が折半で負担します。健康保険料とともに徴収される「介護保険料※」についても負担割合は同じです。厚生年金保険料率は 18.3%、健康保険料率・介護保険料率は、年度や地域によっても異なりますが、令和 6 年度の東京都の場合、健康保険料率は 9.98%、介護保険料率は 1.60% です。これらの保険料率は、日本年金機構や協会けんぽなどのホームページで確認できます。

また、「健康保険・厚生年金保険　新規適用届」と「健康保険・厚生年金保険　被保険者資格取得届」は、日本年金機構のホームページからダウンロードできます。

健康保険・厚生年金保険

健康保険

本人やその家族が病気やケガをしたときや出産をしたとき、亡くなったときなどに、必要な医療給付や手当金を支給して、生活を安定させる。病院の窓口に保険証を提示すると、本人負担が治療費の 3 割となる。

厚生年金保険

労働者が高齢となって働けなくなったり、病気やケガによって身体に障害が残ってしまったり、大黒柱を亡くして遺族が生活に困窮してしまったときに、保険給付を行う。

標準報酬月額とは何か？

「標準報酬月額」とは、健康保険や厚生年金保険を計算しやすくするための基準となる金額のことです。標準報酬月額は、4〜6 月の 3 か月間の給与の総支給額を平均した金額をもとに決定し、その年の 9 月から翌年 8 月まで適用されます（総支給額に応じて、健康保険の場合は 50 段階、厚生年金の場合は 32 段階の等級に分けられ、その等級ごとに標準報酬月額が決められています）。健康保険や厚生年金保険の納付額は、日本年金機構から通知されます。

「健康保険・厚生年金保険　新規適用届」の記入例

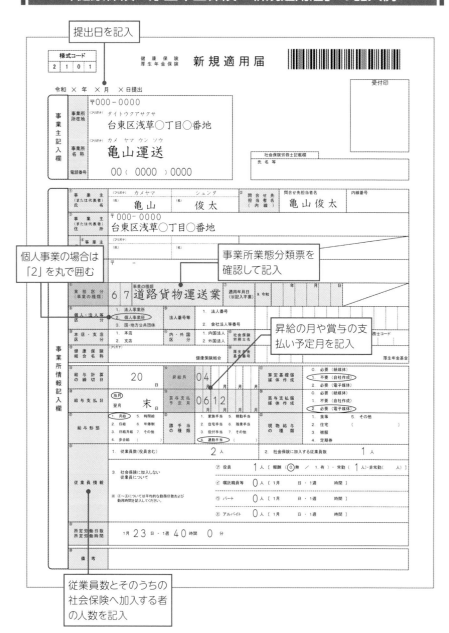

提出日を記入

様式コード
2 1 0 1

健康保険
厚生年金保険　新規適用届

令和　×　年　×　月　×　日提出

事業主記入欄

〒000-0000
（フリガナ）タイトウクアサクサ
事業所所在地　台東区浅草○丁目○番地
（フリガナ）カメ ヤマ ウン ソウ
事業所名称　亀山運送
電話番号　00（ 0000 ）0000

受付印

社会保険労務士記載欄
氏名等

事業主（または代表者）氏名　（フリガナ）カメヤマ　シュンタ　（氏）亀山　（名）俊太
問合せ先担当者　問合せ先担当者名　亀山俊太　内線番号

事業主（または代表者）住所　〒000-0000　台東区浅草○丁目○番地

事業主　（フリガナ）（氏）（名）

個人事業の場合は「2」を丸で囲む

事業所業態分類票を確認して記入

事業所情報記入欄

業種区分（事業の種類）　事業の種類　6 7 道路貨物運送業　適用年月日（※記入不要）9.令和　年　月　日

個人・法人等区分　1.法人事業所　②個人事業所　3.国・地方公共団体　法人番号等

本店・支店区分　1.本店　2.支店　内・外国区分　1.内国法人　2.外国法人　社会保険労務士名

健康保険組合名称　（フリガナ）　健康保険組合　厚生年金基金　厚生年金基金

給与計算の締切日　20 日　昇給月 04 月　月　月　算定基礎届媒体作成　①.不要（自社作成）　2.必要（電子媒体）

給与支払日　毎月・翌月　末 日　賞与支払予定月 06 12 月　月　月　賞与支払届媒体作成　0.不要（自社作成）　②.必要（電子媒体）

昇給の月や賞与の支払い予定月を記入

給与形態　①月給　5.時間給　2.日給　6.年俸制　3.日給月給　7.その他　4.歩合給　諸手当の種類　1.家族手当　5.精勤手当　2.住宅手当　6.残業手当　3.役付手当　7.その他　④通勤手当（　）　現物給与の種類　1.食事　5.その他　2.住宅（　）　3.被服（　）　4.定期券

従業員情報　1.従業員数（役員含む） 2 人　2.社会保険に加入する従業員数 1 人

※社会保険に加入しない従業員について　※ ⑦〜②については平均的な勤務日数および勤務時間を記入してください。　⑦役員　1人［報酬（○無／1.有）・常勤（ 1 人）・非常勤（　人）］　④嘱託職員等 0人［1月　日・1週　時間］　⑦パート 0人［1月　日・1週　時間］　②アルバイト 0人［1月　日・1週　時間］

所定労働日数所定労働時間　1月 23 日・1週 40 時間 0 分

備考

従業員数とそのうちの社会保険へ加入する者の人数を記入

158

「健康保険・厚生年金保険 被保険者資格取得届」の記入例

事業所整理記号と事業所番号は、新規適用時に年金事務所から付与される

被保険者の個人番号（マイナンバー）、または年金手帳に記載された基礎年金番号を記入

資格取得年月日には、働き始めた日を記入

個人番号を記入した場合、住所の記入は不要

70歳以上の場合は、「1」を丸で囲む

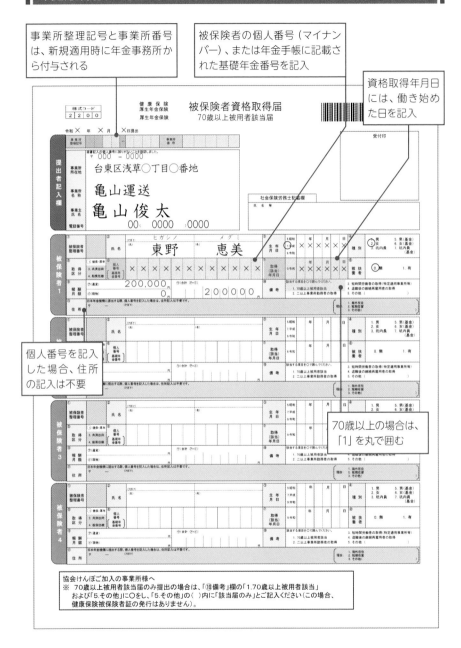

協会けんぽご加入の事業所様へ
※ 70歳以上被用者該当届のみ提出の場合は、「⑩備考」欄の「1.70歳以上被用者該当」
および「5.その他」に〇をし、「5.その他」の（ ）内に「該当届のみ」とご記入ください（この場合、
健康保険被保険者証の発行はありません）。

159

給与所得の源泉徴収税額表（月額表） ※一部抜粋

134ページ・186ページで説明している毎月の給与から差し引く源泉所得税は、この表をもとに計算します。最新の表は、国税庁のホームページで確認することができます。

| その月の社会保険料等控除後の給与等の金額 | | 甲 扶養親族等の数 | | | | | | 乙 |
以上	未満	0人	1人	2人	3人	4人	5人	税額
		税額						税額
88,000 円未満		0	0	0	0	0	0	その月の社会保険料等控除後の給与等の金額の3.063％に相当する金額
88,000	89,000	130				0	0	3,200
89,000	90,000	180				0	0	3,200
90,000	91,000	230	0	0	0	0	0	3,200
91,000	92,000	290	0	0	0	0	0	3,200
92,000	93,000	340	0	0				3,300
93,000	94,000	390	0					3,300
94,000	95,000	440	0					3,300
95,000	96,000	490						3,400
96,000	97,000	540						3,400
97,000	98,000	590						3,500
157,000	159,000	3,270	1,640	0	0	0	0	9,900
159,000	161,000	3,340	1,720	100	0	0	0	10,200
161,000	163,000	3,410	1,790	170	0	0	0	10,500
163,000	165,000	3,480	1,860	250	0	0	0	10,800
165,000	167,000	3,550	1,930	320	0	0	0	11,100
207,000	209,000	5,050	3,430	1,820	200	0	0	23,300
209,000	211,000	5,130	3,500	1,890	280	0	0	23,900
211,000	213,000	5,200	3,570	1,960	350	0	0	24,400
213,000	215,000	5,270	3,640	2,030	420	0	0	25,000
215,000	217,000	5,340	3,720	2,100	490	0	0	25,500
245,000	248,000	6,420	4,810	3,200	1,570	0	0	35,400
248,000	251,000	6,530	4,920	3,300	1,680	0	0	36,400
251,000	254,000	6,640	5,020	3,410	1,790	170	0	37,500
254,000	257,000	6,750	5,140	3,510	1,900	290	0	38,500
257,000	260,000	6,850	5,240	3,620	2,000	390	0	39,400
290,000	293,000	8,040	6,420	4,800	3,190	1,570	0	50,900
293,000	296,000	8,140	6,520	4,910	3,290	1,670	0	52,100
296,000	299,000	8,250	6,640	5,010	3,400	1,790	160	52,900
299,000	302,000	8,420	6,740	5,130	3,510	1,890	280	53,700
302,000	305,000	8,670	6,860	5,250	3,630	2,010	400	54,500

税額は、給与の金額や扶養親族の数によって変わる

「甲」欄をもとに計算するのは、「給与所得者の扶養控除等（異動）申告書」（132ページ）を提出した従業員だけ。この書類がない人は、「乙」欄を当てはめる

第5章

◆

開業後のお金の管理

お金を管理して業績を
プラスの方向に導く

◆ 事業の"もうけ"を正確に把握する

　経理の仕事とは、簡単にいえば、日々の取引を記録することです。

　たとえば、製品やサービスが売れたことを表す「売上」、そのときに受け取る「現金」、商品や原材料の「仕入」、お店や事務所の家賃、電気代や水道代、アルバイトに支払う給与、打ち合わせのコーヒー代などは、事業の成績としてお金という客観的な数字で表されます。

　こうした日々の取引を記録することで、事業の"もうけ"が正確にわかるのです。

　また、経理を適正に行っていれば、将来的な事業の"もうけ"が予想できるため、融資を受ける際の返済計画も立てやすく、融資先を納得させるための大きな武器になります。

◆ 経理業務は後回しにせず、毎日こつこつと行う

　経理の仕事は、帳簿をつけることだけではありません。現金を扱って売上金の入金や必要経費の精算をしたり、請求書を作成して取引先に送ったり、預金口座を見て入金や出金を確認したり、請求書にしたがって仕入代金を支払ったり、アルバイトの給与を計算したりといった大事な仕事もあります。あとでまとめてやればいいと甘く考えていると、仕事がたまって効率が悪くなるばかりか、支払いの期日などに遅れると事業の信用を落とすことにもつながりかねません。やるべきことを後回しにせず、毎日こつこつと行っていきましょう。

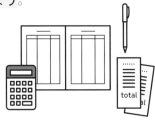

Point 　**粗利益**：売上から仕入を差し引いた利益のこと。事業の採算性を確認する上で最も重要な数字です。事業の利益は、この粗利益から必要経費の総額を差し引いて求めます。

◆ 個人事業主も税金を納めなければならない

　国民の義務の一つに、税金を納めることがあります。もちろん、個人事業主も税金を納めなければなりません。

　経理は日々の取引を記録することですが、実はお金が動いていないときにも記録が必要になります。たとえば、支払いを受ける前に納品をするケースなどです。この場合、納品した日と、入金があった日の両方を記録することが必要になります。税金の計算をするときのもとになる数字は、お金の動きだけでなく、お金を通じたすべてのやりとりを記録したもので行います。この記録を残す作業を「簿記」といい、記録した書類を「帳簿」といいます。

　年度末になったら、帳簿をもとに1年間の利益や経営状態を表す「決算書」（178ページ）を作成し、それをベースに税額を算出します。

代表的な経理の業務

現金出納業務	現金を扱って売上金の入金や、必要経費の精算などを行う
預金管理業務	預金口座を見て、入金や出金を確認する
売上取引の業務	請求書を作成して取引先に送付したり、入金状況を確認する
仕入取引の業務	請求書にしたがって仕入代金を期日までに支払う
伝票や帳簿の作成	簿記のルールにしたがって日々の取引を伝票や帳簿に記入する
給与計算	従業員一人ひとりの給与を計算し、支払う
決算書の作成	日々の取引を記録した帳簿をもとにして、一定期間の利益や経営状態を表す

経理で得た数字を経営分析に活かす

　経理で得た数字をもとにして経営の状態を分析し、今後の対策を考えることを「経営分析」といいます。たとえば月ごとの売上や必要経費の違いなどについて、正確な数字を見て、経営上のよかった点や悪かった点を発見し、業績をプラスの方向に導くための対策を練ることができます。たとえば、売上が伸びているのに"もうけ"が増えないという原因（必要経費や仕入が利益を圧迫しているなど）を解明するなどがあります。

売上から売上原価と
必要経費を引いて利益を求める

◆ 事業の利益は売上から売上原価と必要経費を引く

　経理の仕事について理解する前に、売上や利益に関係した大切なキーワードを押さえておきましょう。

　事業の利益は、売上から、売上原価と必要経費を差し引いて求めることができます。

　売上原価も必要経費も、売上を得るために必要な費用です。販売するために購入した商品や原材料など、売上に直接関係する費用のことを「売上原価」といいます。仕入も売上原価の一つです。売上原価以外の費用、たとえば店舗や事務所の家賃、電気・ガス・水道の利用料金、交通費、消耗品の購入費、従業員の給与などを「必要経費」（単に「経費」ということもあります）といいます。

　なお、個人事業主が納める所得税などの税金は、1年間の総売上から売上原価や必要経費を差し引いた金額（事業の利益）をベースに、決められた税率をかけて計算されます。

　必要経費を少なく抑えるとその分だけ事業の利益は多くなりますが、税金面から見ると、必要経費が多く認められればそれだけ納める税金が少なくて済みます。

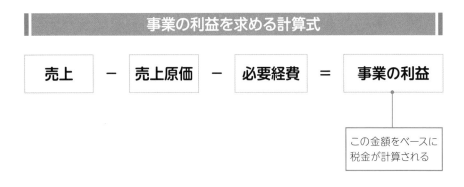

事業の利益を求める計算式

売上 － 売上原価 － 必要経費 ＝ 事業の利益

この金額をベースに
税金が計算される

Point 経理の世界では、売上原価（仕入）を含め、事業のために必要な費用のことを「必要経費」という場合もあります。本書では、売上原価と必要経費を別のものとして解説しています。

◆ 必要経費として認められる費用

　必要経費とは、売上を上げるために必要な費用のことです。税務上、必要経費が認められるかどうかの基準は、"仕事に必要かどうか"で、一般的には、以下に掲げたようなものが必要経費として認められています。そのほかにもさまざまな必要経費があります（176 ページ）。

代表的な必要経費

●仕事に必要な機材や消耗品
　パソコンや周辺機器、パソコンソフト、文房具、コピー用紙、仕事机やイスなど。ただし、10 万円以上のものは固定資産として扱われ、使用する期間によって1年分の減価償却費（148 ページ）が必要経費となります。

●お店や事務所の家賃、公共料金、電話代など
　お店や事務所を借りるための家賃、ガス・水道・電気の利用料金、電話代、インターネット接続費など。

●仕事で外出する際の交通費
　営業や打ち合わせ、仕入の買い出しなどのために外出の際に発生する交通費。

●接待や打ち合わせをかねた飲食代
　取引先の担当者や仕事仲間を招いた接待や、仕事の打ち合わせをしながらの飲食代。もちろん、仕事とは関係のない家族や友人との飲食費は、必要経費として認められません。

Check!
先にお金が出ていき、あとで売上や利益を回収する

　事業の売上や利益は、先に投資をしてからあとで回収するものとして考えます。たとえば、小売店では販売するための商品を購入してそれをお客様に買ってもらいます。飲食店では仕入れた食材などを調理してお客様に提供します。このような売上原価（仕入）以外の費用も同様で、仕事のために使う事務机やパソコンなどは、売上や利益を得るために先に投資するものであると考えます。

損益分岐点と限界利益
について考える

◆ 固定費を抑えて経費削減を実現する

　必要経費は、「変動費」と「固定費」に分けて考えることができます。変動費と固定費の区別のしかたは、業種や事業の規模などによって異なりますが、変動費とは、仕入にかかる代金や原材料費、外注費、商品を出荷するときの発送費のように、売上によって増減するもの。固定費とは、売上にかかわらず毎月同じようにかかる、お店や事務所の家賃や水道代、電気代、従業員の給与（残業代など給与の一部は変動費になる場合もあります）などです。また、広告費、会議費、交通費、新聞図書費などは、売上と連動していないため固定費として考えますが、売上と連動している部分は変動費になるものがあります。

　必要経費を抑えるためには、固定費を見直すことが先決だといわれています。なかでもとくに人件費と家賃は金額が大きいので、最初は少なくし、売上が伸びてから増やすことを考えるようにします。

変動費と固定費

●**変動費**　一般的に売上が増えれば増え、売上が減れば減る
仕入にかかる代金、原材料費、商品の発送費など

●**固定費**　売上の増減に関係ないもの
家賃、従業員の給与、水道代、電気代、会議費、新聞図書費など

◆ 変動費と固定費から損益分岐点を求める

　事業の"もうけ"を考える上では、損益分岐点という考え方が役に立ちます。簡単に説明すると、損益分岐点とは"もうけ"が０円になる売上高（売上金額）のことです。つまりこの**損益分岐点を超えると、事業は"もうけ"**

Word **限界利益**：売上から変動費を引いたもの。すべての固定費を回収して、事業が利益を出しているかどうかを確認するときの重要な指標になります。

が出て黒字になり、反対に下回ると赤字になるわけです。

この損益分岐点を計算する際にも、変動費と固定費の考え方が重要なポイントになります。

売上から変動費を引いた金額を「限界利益※」といい、売上のなかでこの限界利益が占める割合を「限界利益率」といいます。損益分岐点の売上は、固定費をこの限界利益率で割ることで計算することができます。

たとえば、コーヒー1杯500円で販売しているコーヒースタンドの場合、コーヒー豆の値段（変動費）が200円だとすると、限界利益は300円、限界利益率は60％になります。家賃や水道光熱費、会議費などの固定費が月45万円かかる場合、1か月の損益分岐点売上高は、45万円÷0.6（60％）で75万円となります。

ただし、先に計算した変動費には自分の給与が入っていないので、この数字では "もうけ" が得られません。毎月25万円の給与を得たい場合は、月45万円の固定費に自分の給与を足して70万円とし、70万円÷0.6（60％）の計算で、毎月約117万円の売上を達成する必要があります。

損益分岐点を求める計算式

| 限界利益 300円 | ＝ | 売上 500円 | － | 変動費 200円 |

| 限界利益率 0.6（60％） | ＝ | 限界利益 300円 | ÷ | 売上 500円 |

| 損益分岐点売上高 約117万円 | ＝ | 固定費 70万円 | ÷ | 限界利益率 0.6（60％） |

領収書、請求書、発注書の発行ルール

◆ 領収書は、代金の受領を証明する大切な書類

　領収書は、**商品やサービスの代金を確実に支払ったことを証明する**ための書類です。反対に、お金を受け取った側にとっては、**商品やサービスの対価としてお金を受け取った**ことを証明する書類として使われます。

　領収書は、売上額の証明や必要経費の根拠にもなる書類です。記載が不十分だと、受け取った側が必要経費として計上できなくなる場合もあるので、正しい記入方法を知っておかなければなりません（170 ページ）。

　反対に受け取った領収書は必要経費などとしてお金を使った証拠になるので、大切に保管すること。消費税には軽減税率※8％と標準税率10％があり、受け取った領収書やレシートから、きちんと区分けしておきましょう。8％と10％の区分けは消費税の確定申告（242 ページ）でも必要です。

◆ 請求書は、相手に支払いを求める書類

　請求書は、**製品やサービスを提供した相手に支払いを求める書類**です。請求書に記載すべき事柄は、請求書発行者の氏名または名称、取引年月日、取引の内容、対価の額、請求書受領者の氏名または名称です。

　さらに軽減税率の対象品目とそれ以外を、税率（8％と10％）ごとに合計した税込対価の額を記載します（171 ページ）。

　インボイスの適格請求書（140 ページ）の場合は、登録番号も必要です。

◆ 発注書は購入の意思表明書、納品書は配達証明書

　発注書（注文書）は、**製品やサービスを購入する約束を書面で表した書類**です。口頭での約束では間違いが起きやすいので、製品やサービスを注文を出す側は発注書を発行し、解釈に齟齬がないように、約束した内容を書面で確認し合いましょう。

　発注書に記載する内容は、商品やサービスなどによって異なりますが、

Word **軽減税率**：対象品目は、酒類を除く飲食料品と新聞。スーパーでの生鮮食品や加工品、惣菜だけではなく、飲食店でのテイクアウトも軽減税率の対象です（139 ページ）。

商品名、数量と単価、金額（税込金額と税抜金額）が基本です（171ページ）。備考欄には、納品場所や納期、支払い方法など記載するとなおよいでしょう。

また、納品書は商品を届けたことを証明する書類です。郵便や宅配便で商品を送る場合、納品書は商品に同梱するのが基本です。

納品書を受け取った場合は、記載内容に間違いがないかを商品と照らし合わせて確認しましょう。

◆ 金額は３ケタごとに区切ってカンマを打つ

近年は大幅に減っていますが、もし手書きの領収書や請求書に記入する場合、金額は計算間違いがないように、「1,000円」「10,000,000円」などと、３ケタごとにカンマを入れるのが一般的です。「カンマ１つの場合は〜千円、カンマ２つの場合は〜百万」とおぼえましょう。

また、数字は読みやすい字で正確に書くことが大切です。アラビア数字の「1」と「7」、「0」と「6」は、雑に書くと間違えやすいのでとくに気をつけてください。筆記用具は、書き直しができない黒のボールペンを使うのが基本です。金額を書き間違えたときは、定規を当てて二重線を引き、その上に正しい金額を書き直します。二重線の上に印を押せば、誰が訂正したのかが明確になります。

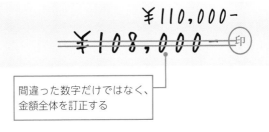

間違った数字だけではなく、金額全体を訂正する

あて名の会社名は、正式名称を記入する

領収書や請求書などに記入するあて名は、正確に書くことを心がけましょう。相手が会社の場合は、「株式会社」の表記を「（株）」と略さずに、正式名称を書きます。名刺などを見せてもらって確認すると、記入ミスがなくなります。

あて名の尊称は、相手が会社なら「御中」、個人なら「様」が適当です。

あて名が空欄だったり「上様」になっていると、正式な領収書として認められない場合があるので注意が必要

どんな商品やサービスに対する支払いなのかがわかるように、但し書きの欄に、取引の内容を明記。「品代として」という表記では、正式な領収書として認められない場合がある

金額の改ざんができないように、金額の前に「¥」、金額の後ろに「－（バー）」（または「※」）を入れる。3桁ごとに「,（カンマ）」をつけるのも忘れずに

領 収 書

○○○○商店　　様　No. _0000_

金額　**¥77,000-**

但し コーヒーメーカー代として

内訳		×年　×月　×日　上記正に領収いたしました
税抜金額	70,000	
消費税額（10%）	7,000	
税抜金額	0	
消費税額（8%）	0	

収入印紙
200円

000-0000
東京都台東区浅草○丁目○番地
新星コーヒー　入江理沙
登録番号　T0000000000000

消費税率と金額を記載

日付の記載は必須。空欄にせず、領収書を発行した年月日を正確に記入する。銀行振込などで代金を受け取った場合は、入金した日付を書く

金額が5万円以上の場合は、収入印紙を貼って消印を押す。消印は事業所の印でも担当者の認め印でもかまわない。収入印紙の金額は、但し書きなどで本体価格と消費税額が明確に区分されていれば、本体価格の金額で判定。カード支払いの場合は、但し書きに「カードによる支払い」と明記すれば印紙の貼付は不要になる

領収書を発行する側の住所と事業所名（個人事業の場合は氏名）を記入し、押印する。適格請求書発行事業者なら登録番号も記載

請求書の見本

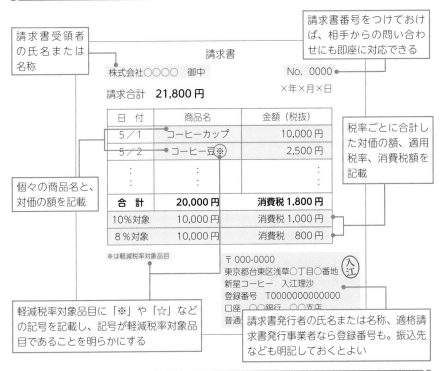

請求書受領者の氏名または名称

請求書番号をつけておけば、相手からの問い合わせにも即座に対応できる

請求書

株式会社○○○○　御中　　　　　　　No. 0000

　　　　　　　　　　　　　　　　　　×年×月×日

請求合計　**21,800 円**

日　付	商品名	金額（税抜）
5／1	コーヒーカップ	10,000 円
5／2	コーヒー豆※	2,500 円
⋮	⋮	⋮
合　計	**20,000 円**	**消費税 1,800 円**
10％対象	10,000 円	消費税 1,000 円
8％対象	10,000 円	消費税　800 円

※は軽減税率対象品目

税率ごとに合計した対価の額、適用税率、消費税額を記載

個々の商品名と、対価の額を記載

〒 000-0000
東京都台東区浅草○丁目○番地
新星コーヒー　入江理沙
登録番号　T0000000000000
口座　○○銀行　○○支店
普通

軽減税率対象品目に「※」や「☆」などの記号を記載し、記号が軽減税率対象品目であることを明らかにする

請求書発行者の氏名または名称、適格請求書発行事業者なら登録番号も。振込先なども明記しておくとよい

発注書の見本

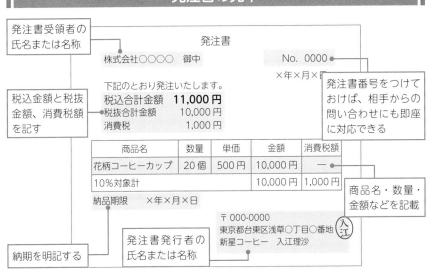

発注書受領者の氏名または名称

発注書

株式会社○○○○　御中　　　　　　No. 0000

　　　　　　　　　　　　　　　　　×年×月×日

下記のとおり発注いたします。

税込合計金額　**11,000 円**
税抜合計金額　10,000 円
消費税　　　　1,000 円

税込金額と税抜金額、消費税額を記す

発注書番号をつけておけば、相手からの問い合わせにも即座に対応できる

商品名	数量	単価	金額	消費税額
花柄コーヒーカップ	20 個	500 円	10,000 円	―
10％対象計			10,000 円	1,000 円

納品期限　×年×月×日

商品名・数量・金額などを記載

〒 000-0000
東京都台東区浅草○丁目○番地
新星コーヒー　入江理沙

納期を明記する

発注書発行者の氏名または名称

171

請求書の締め日や支払日、支払方法を決めておく

◆ 掛取引とはいわゆる"ツケ払い"のこと

小売店のように通常の顧客を相手にした商売では、商品の受け渡しと代金の引き換えが同時に行われますが、企業相手やお店同士の取引などでは、支払いに現金が使われるとは限りません。同じ相手との継続した取引では、経理業務の効率化を図るため、1か月分の取引をあとでまとめて精算するしくみが多くとられます。

製品やサービスの提供と同時に代金の受け渡しを行う取引を「現金取引」、製品やサービスを先に提供し、あとでまとめて精算する取引を「掛取引」といいます。**掛取引とは、いわゆる"ツケ払い"のことだと考える**とわかりやすいでしょう。

◆ 締め日を設定して1か月分の取引をまとめる

掛取引では、毎月の売上や仕入が、あらかじめ取引先と約束した期間で集計されます。**集計期間の最終日を「締め日」、その期間に行われた取引を集計することを「締める」**といいます。

たとえば、「月末締めの翌月25日払い」では、当月に掛けで売った代金を月末に集計して、翌月のはじめに請求書を発行して相手に送付。翌月の25日に支払いを受けます。

得意先がある場合は、請求書の締め日や支払日、支払方法をあらかじめ決めておく必要があります。なお、締め日と支払日は、支払う側から提案されますが、入金までの期間が長いとその間の資金が必要になってしまうので、ある程度、自分の基準を設定して交渉することも必要です。

◆ 請求書を送って代金の支払いを求める

製品やサービスを提供したら、請求書を作成して相手に送り、代金の支払いを求めます。なお、請求書は納品ごとに発行する場合と、上記で解説

Point 売上の掛取引を「掛売上」、仕入の掛取引を「掛仕入」といいます。なお、それぞれが発生したときの勘定科目（176ページ）は、「売掛金」と「買掛金」です。

したように月ごとにまとめて発行する場合があります。その場合は発注書や納品書の控えなどをもとに請求書を発行します。

請求書を受け取った側は、発注書などをもとに金額と内容を確認し、事前に約束した支払日までに、決められた支払方法で代金を支払います。

「月末締め翌月25日払い」の場合

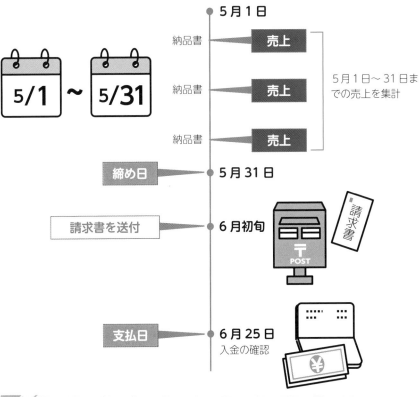

小切手で支払いを受けたらどうする？

代金の支払いで小切手を受け取ったら、振出日の翌日から起算して10日以内に銀行に持参にし、現金に換金してもらいます。なお、小切手はすぐに現金に換えられる通貨代用証券なので、勘定科目（176ページ）では「現金」の扱いになります。

日々の取引を帳簿に記入する
～帳簿についての基礎知識

◆ 経理処理で使われる主な帳簿

　帳簿には、商品を仕入れたり、売り上げたり、家賃や交通費などの必要経費を支払ったりするなどの日々の取引※が記録されています。帳簿を作成する大きな目的は、経営状況を把握し、決算のときに適正な税額を計算することです。

　会計ソフト（200ページ）を使えば、勘定科目（176ページ）や金額などを入力するだけで、必要な帳簿が自動的に作られますが、主な帳簿とその役割については知っておかなければなりません。

　経理処理で使われる**帳簿は、「主要簿」と「補助簿」に大別**されます。

　主要簿は、1年の経営成績や財務状況をまとめる決算書（178ページ）を作成するのに欠かせない大切な帳簿で、具体的には「総勘定元帳」と「仕訳帳」のことを指します。仕訳帳は総勘定元帳を作成するための帳簿で、総勘定元帳にはすべての取引が勘定科目別にまとめられています（196ページ）。

　補助簿は、特定の取引を詳細に記録した帳簿で、主要簿の情報を補完する目的で必要に応じて作成されます。どんな帳簿を使うかは、業種によっても変わります。

◆ 帳簿に記入するタイミングは取引が発生したとき

　帳簿への記帳は、取引が発生するたびに行うのが基本です。現金出納帳であれば現金が動くたび、預金出納帳であれば振り込みや入出金があったとき、売掛帳であれば掛売上したときと代金を回収したとき、買掛帳であれば掛仕入をしたときと代金を支払ったときに帳簿に記載します。

　これを怠ってしまうと、税金の金額がわからなくなるばかりか、経営上の的確な判断もできなくなります。面倒だからといって後回しにせず、毎日こつこつと記帳する習慣をつけましょう。

Word **取引**：経理における「取引」とは、お金を通じたすべての製品やサービスなどのやりとりのこと。帳簿にすべての取引を記録することを「簿記」といいます。

また、帳簿は確定申告が終わったあともある一定期間（保存期間と対象は法律によって異なります）、保存しなければなりません。申告した内容に誤りがないか、税務署に確認を求められることがあるからです。同様に、領収書や請求書など、現金や預金の入出金の証拠となる書類にも、一定期間の保存義務があります。バインダーや箱などに入れて年度ごとに整理し、保存しておきましょう。

経理処理で使われる主な帳簿

主要簿	総勘定元帳	すべての取引を勘定科目ごとに、発生順（日付順）に記録した帳簿
	仕訳帳	すべての取引を発生順（日付順）に仕訳した帳簿
補助簿	現金出納帳	現金に関する取引について、収入・支出の金額と内容を詳細に記録し、残高を明らかにした帳簿
	預金出納帳	預金の預け入れ・引き出し・振り込み・引き落としの金額と内容を詳細に記録し、残高を明らかにした帳簿
	経費帳	給与、旅費交通費、通信費、消耗品費、地代家賃などの必要経費を記録した帳簿
	売上帳	製品やサービスの売上取引について、金額と内容を詳細に記録した帳簿
	売掛帳	売掛金を管理するために、得意先ごとの売掛金の増減を記録し、残高を明らかにした帳簿
	買掛帳	買掛金を管理するために、仕入先ごとの買掛金の増減を記録し、残高を明らかにした帳簿
	固定資産台帳	固定資産を管理するために、取得日、取得価額、減価償却費などを記録した帳簿

Check!

軽減税率対象品目がわかるように帳簿に記入する

軽減税率の対象品目（138ページ）は、消費税の確定申告時に消費税額をまとめて計算し、合計を明らかにしなければなりません。総勘定元帳などの帳簿に、軽減税率の対象品目の仕入や売上を記載するときは、摘要欄に「※」や「☆」などの記号をつけて、それが軽減税率の対象品目であることがわかるようにしておきましょう。

勘定科目を使って
取引の内容を帳簿に記入する

◆ 取引を帳簿に記入するときに使われる勘定科目

　「勘定科目」とは、日々の取引を帳簿に記入するときに使われるものです。たとえば、商品やサービスを売り上げたら「売上」、商品を仕入れたら「仕入」、商品を掛けで売ったら「売掛金」、銀行にお金を預け入れたら「預金」というように、それぞれの取引はその性質ごとに振り分けられ、何にいくら使ったのかがわかるようになっています。

　この勘定科目を使って、金額とともに取引の内容を帳簿に記入する作業を「仕訳」といいます。確定申告（202 ページ）をするには、勘定科目をある程度理解しておかなければなりません。

◆ 勘定科目はよく使うものからおぼえていく

　勘定科目はいろいろあり、その数は 100 を超えるともいわれていますが、個人事業で使われるものは実はそれほど多くなく、使用頻度の高いものをおぼえてしまえば、日常的な取引はこなせてしまいます。

　たとえば、アルバイトやパートに支払う「給与」、電車代やタクシー代などの「旅費交通費」、広告や宣伝にかかった「広告宣伝費」、得意先の接待などにかかった「接待交際費」、電話代や郵便代などの「通信費」、少額の事務用品などの購入にかかった「消耗品費」、水道・電気・ガスなどの使用料金「水道光熱費」、店舗や事務所の家賃「地代家賃」などです（勘定科目の名称※や使い方は事業者によってやや異なる場合があります）。

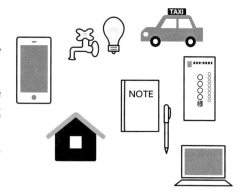

Word **勘定科目の名称**：その名称はわかりやすいものであれば問題ありません。旅費交通費は「交通費」、広告宣伝費は「広告費」、地代家賃は「家賃」などが使われることもあります。

代表的な勘定科目

現　　　金	紙幣や硬貨などの通貨。他人が振り出した小切手など
預　　　金	銀行などの金融機関に預け入れているお金
売　掛　金	商品を先に納入し、あとで銀行振り込みをしてもらうときなどに使われる
備　　　品	パソコンやレジなど、使用可能期間が1年以上で、取得価額が10万円以上のもの
買　掛　金	商品を先に受け取り、あとで代金を支払うときなどに使われる
借　入　金	金融機関などから借りたお金
売　　　上	本業の商品の販売やサービスの提供によってお客様から受け取る収益
仕　　　入	販売目的の商品や原材料を購入したときの費用
給　　　与	従業員に支払われる給料や諸手当
旅費交通費	通勤や業務遂行のために必要な交通費など
通　信　費	電話料金や郵便切手代、宅配便、バイク便など、通信にかかった費用
会　議　費	社内外で行われる会議や打ち合わせに関連した費用
接待交際費	得意先との接待や贈答などにかかる費用
新聞図書費	業務上必要とされる新聞代、書籍購入代、雑誌購読料など
消 耗 品 費	事務用品など、使用可能期間が1年未満、もしくは取得価額が10万円未満のもの
水道光熱費	ガス、水道、電気などの使用料金
広告宣伝費	不特定多数の人に対する広告や宣伝にかかる費用
地 代 家 賃	建物の賃借料
車　両　費	ガソリン代、自動車保険料など、自動車の維持管理にかかる費用
荷 造 運 賃	商品の梱包や発送などにかかる費用
外　注　費	業務の一部を外部に委託した場合の費用
雑　　　費	ほかのどの勘定科目にも当てはまらない、一時的な少額の費用

帳簿のつけ方には
複式簿記と簡易式簿記がある

◆ 複式簿記は複雑だけど、いろいろなことがわかる

　日々の取引は、複式簿記あるいは簡易式簿記という方法で帳簿に記入します。が、55万円または65万円の青色申告特別控除（216ページ）を受けるには、**複式簿記で帳簿に記録し、決算書**※ **の書類である損益計算書と貸借対照表の両方を提出**しなければなりません。

　損益計算書とは、1年間にどれだけの"もうけ"があったかを示す事業の成績表のようなものです。これを見ることで、どんなことにいくら使ったのかもわかります。

　貸借対照表とは、1年間の事業活動を終えた時点で、どのような財産がいくらあるのかを示したもので、資産（現金や売掛金など）や、負債（買掛金や借入金など）がわかります。

　これらを使って経営状態を分析すれば、今後の経営計画を立てたり、事業計画の改善や財政の立て直しを図ることができます。

　複式簿記によって作成する帳簿は、総勘定元帳、仕訳帳（または伝票）、現金出納帳、売掛帳、買掛帳、固定資産台帳などです。

◆ 簡易式簿記は簡単に作成できる

　複式簿記よりも簡単な方法として、簡易式簿記を使った帳簿記入があります。**簡易式簿記を選択した場合、青色申告特別控除額は10万円**になりますが、家計簿やこづかい帳をつけるような感覚で、誰でも記帳することができます。

　簡易式簿記の帳簿は、現金出納帳と経費帳が基本です。現金出納帳には現金の取引を発生順に記入していき、そのうち必要経費に関しては経費帳（仕入以外の必要経費を勘定科目ごとに記録する帳簿）にも記録していきます。そのほか、売掛帳、買掛帳、預金出納帳、固定資産台帳などを作成します。

Word **決算書**：決算書とはいくつかの書類の総称です。損益計算書（228ページ）と貸借対照表（230ページ）はその代表です。

　簡易式簿記では、決算書として損益計算書を作成しなければなりませんが、貸借対照表の提出は求められません。

複式簿記と簡易式簿記の違い

複式簿記の場合		簡易式簿記の場合
・総勘定元帳 ・仕訳帳（または伝票） ・現金出納帳 ・預金出納帳 ・売掛帳 ・買掛帳 ・固定資産台帳　など	主　な　帳　簿	・現金出納帳 ・経費帳 ・売掛帳 ・買掛帳 ・預金出納帳 ・固定資産台帳　など
・貸借対照表と 　損益計算書	決　　算　　書	・損益計算書
・55万円 　または65万円	青　色　申　告 特　別　控　除　額	・10万円

全体が把握できて
安心だわ

家計簿感覚なら
続けられそうだ

仕訳帳の代わりの用いられる3つの伝票

　複式簿記では、日々の取引を発生順（日付順）に仕訳帳（196ページ）に記入していきますが、仕訳帳の代わりに「伝票」が用いられることもあります。伝票には、現金が入ってきたときの取引を記入する「入金伝票」、現金が出ていったときの取引を記入する「出金伝票」、現金の出入りを伴わない取引を記入する「振替伝票」の3種類があり、1枚の伝票には1つの取引を記録する決まりがあります。伝票の書式（市販されているもののほか、無料でテンプレートをダウンロードできるものもあります）にはさまざまな形がありますが、日付、相手先の名前、勘定科目とその金額を記入する基本ルールは同じです。

現金出納帳、経費帳への記入

◆ 現金の取引を現金出納帳に記録する

　簡易式簿記の帳簿は、現金出納帳と経費帳が基本になります。

　現金出納帳には、現金の取引を発生順に記入します。最初に記入するの
は、前月末の時点での現金残高です。以降、**現金の取引が発生するごとに、
収入または支出の欄に金額を記入し、残高を計算**していきます。科目欄に
は取引の勘定科目が入り、摘要欄には取引の内容（仕入があった場合は、
取引先の名前・商品名・数量・単価）を記入します（現金で商売をする小
売店や飲食店などの場合、売上は日々の売上の総額を記入するだけでもか
まいません）。消耗品費や旅費交通費などの必要経費を現金で支払ったと
きにも、この現金出納帳に金額と取引の内容を記入します。

　なお、預金口座を管理する預金出納帳への記入は、基本的に現金出納帳
と同じです。預金出納帳では、現金出納帳の収入欄が「入金」、支出欄が「出
金」となり、売上が銀行口座に入金された場合は入金欄に、電話代などの
引き落としがあった場合は出金欄にその金額を記入します。

◆ 仕入以外の必要経費を経費帳に記録する

　経費帳は、仕入以外の必要経費（給与、旅費交通費、通信費、消耗品費、
地代家賃、水道光熱費など）を勘定科目ごとに記録した帳簿です。設定す
る勘定科目は業種などによって変わってきますが、ほとんど使うことがな
い必要経費は「雑費」として一つにまとめてしまってもかまいません。

　記入のしかたは簡単です。**領収書やクレジットカードの支払明細書など
を見ながら、金額を日付順に記入し、摘要欄にその内容を書き入れます。**
自動引き落としの場合は、「その他」という欄に金額を記入します。

　領収書が出ない電車賃やバス代などの旅費交通費については、日付、訪
問先、乗車区間、金額などを明記した交通費精算書を作成して、それをも
とに記入するといいでしょう。

Point 右ページの記入例は、現金出納帳と経費帳の関係をわかりやすく説明するために、現金の取引
にしていますが、通信費や水道光熱費は引き落としになるケースがほとんどです。

現金出納帳の記入例

前月から繰り越しがあった場合は、収入と残高の欄に金額を記入

預金出納帳では、収入欄は「入金」、支出欄は「出金」になる

収入と支出の差額。実際の現金の総額を記入

（単位：円）

日付	科目	摘要	収入	支出	残高
10月1日	前月繰越		150,000		150,000
2日	通信費	電話代		25,000	125,000
3日	水道光熱費	ガス代		7,000	118,000
4日	仕入	A商店○○ 100袋@500円		50,000	68,000
5日	売上		80,000		148,000
6日	水道光熱費	電気代		24,000	124,000
18日	水道光熱費	水道代		5,000	119,000
25日	預金	引き出し	60,000		179,000
27日	消耗品費	文房具		12,000	167,000
	合計		290,000	123,000	
	次月繰越			167,000	
11月1日	前月繰越		167,000		167,000

次月への繰越がある場合は支出欄に金額を記入

経費帳の記入例

摘要欄にその内容を記入

勘定科目ごとに項目を設定する

通信費			
日付	摘要	金額	
		現金	その他
10月2日	電話代	25,000	

水道光熱費			
日付	摘要	金額	
		現金	その他
10月3日	ガス代	7,000	
6日	電気代	24,000	
18日	水道代	5,000	

消耗品費			
日付	摘要	金額	
		現金	その他
10月27日	文房具	12,000	

領収書などを見ながら、金額を日付順に記入。銀行からの振り込みや自動引き落としの場合は、「その他」の欄に金額を書き入れる

売掛帳、買掛帳への記入

◆ 掛取引の内容を売掛帳と買掛帳に記録する

　現金出納帳と経費帳では現金を扱う取引の記帳を説明してきましたが、企業相手やお店同士の取引では、現金取引はほとんどなく、「掛取引」で精算されるケースがほとんどです（172ページ）。

　掛取引での売上を「掛売上」といい、まだ受け取っていない売上金のことを「売掛金」といいます。売掛帳は、この売掛金を管理するための帳簿で、得意先ごとの売掛金の増減を記録します。売掛帳に取引を記入するタイミングは、掛売上したときと代金を回収したときです。

　仕入についても同様で、得意先との取引は現金ではなく、掛取引で精算されるケースが一般的です。

　掛取引での仕入を「掛仕入」といい、まだ支払っていない代金のことを「買掛金」といいます。買掛帳は、この買掛金を管理するための帳簿で、取引先ごとの買掛金の増減を記録します。買掛帳に取引を記入するタイミングは、掛仕入したときと代金を支払ったときです。

◆ 帳簿をしっかり管理し、回収もれや支払い忘れを防ぐ

　右ページに示したのは、簡易式簿記での売掛帳と買掛帳の記入のしかたです。売掛帳と買掛帳は、取引先ごとに分け、相手先の住所や連絡先を明記しておくと管理がしやすくなります。

　最初に記入するのは、前月の残高です。以降、**取引が発生するごとに、商品名、数量、単価などを記入。売上（または仕入）の金額、受入（または支払）の金額を書き入れ、残高を計算**していきます。

　売掛金と買掛金をしっかり記録することで、請求ミスや代金の回収もれ、自身の支払い忘れなどを防ぐことができます。

　なお、売掛金が口座に振り込まれたり、買掛金を口座から振り込んだ場合は、預金出納帳を作成して入金や出金を管理します。

Point 掛取引では、毎月の売上や仕入が、あらかじめ設定した期間で集計されます。「月末締めの翌月25日払い」の場合、翌月のはじめに請求書を送付し、翌月の25日に支払いを受けます。

売掛帳の記入例

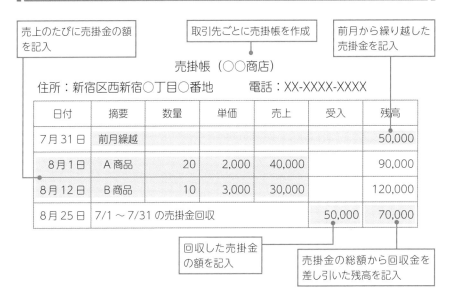

売上のたびに売掛金の額を記入

取引先ごとに売掛帳を作成

前月から繰り越した売掛金を記入

売掛帳（○○商店）

住所：新宿区西新宿○丁目○番地　　電話：XX-XXXX-XXXX

日付	摘要	数量	単価	売上	受入	残高
7月31日	前月繰越					50,000
8月1日	A商品	20	2,000	40,000		90,000
8月12日	B商品	10	3,000	30,000		120,000
8月25日	7/1～7/31の売掛金回収				50,000	70,000

回収した売掛金の額を記入

売掛金の総額から回収金を差し引いた残高を記入

買掛帳の記入例

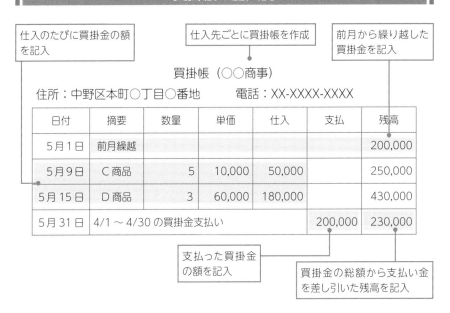

仕入のたびに買掛金の額を記入

仕入先ごとに買掛帳を作成

前月から繰り越した買掛金を記入

買掛帳（○○商事）

住所：中野区本町○丁目○番地　　電話：XX-XXXX-XXXX

日付	摘要	数量	単価	仕入	支払	残高
5月1日	前月繰越					200,000
5月9日	C商品	5	10,000	50,000		250,000
5月15日	D商品	3	60,000	180,000		430,000
5月31日	4/1～4/30の買掛金支払い				200,000	230,000

支払った買掛金の額を記入

買掛金の総額から支払い金を差し引いた残高を記入

簡易式簿記で帳簿をつける③
固定資産台帳への記入

◆ 使われるほどに価値が下がっていく固定資産

　148ページで説明したように、「固定資産」とは1年以上継続的に使用する10万円以上の財産のことです。そのうち、車やパソコン、陳列棚など、使われるほどに価値が下がっていく固定資産は、買ったときにすべてを一度に必要経費として計上することができません。これらは、減価償却という手続きによって、税法で定められた耐用年数（「法定耐用年数」といいます。222ページ参照）に応じて、毎年少しずつ必要経費として分割して計上していきます。

　固定資産を管理するためには、固定資産台帳という帳簿への記入が必要です。固定資産台帳には、事業用の固定資産として「どのようなもの（種類）」が「どのくらい（数量）」あり、それが「いくら（価値）」なのかといったことを記します。固定資産台帳は、日々の取引の記帳ではほとんど使うことのない特殊な位置づけの帳簿ですが、その役割をおぼえておきましょう。

◆ 固定資産台帳を使って固定資産を管理する

　固定資産台帳に記入するタイミングは、固定資産を購入したときと、決算のときです（固定資産を売却、廃棄したときも記入が必要です）。

　固定資産台帳では、事業用に使う車両や備品などを固定資産の種類ごとにページを分け、取得年月日、所在、耐用年数、償却方法（定額法または定率法。148ページ参照）、償却率（税法で定められた1年間に必要経費として計上できる割合。222ページ参照）、数量、単価、購入金額（設置

Point 使用可能期間が1年未満のものや、取得価額が一つにつき10万円未満のものは、購入した年度に全額を消耗品として必要経費にできます。

費や運搬費などの諸経費を含む）などを記入します。

　なお、耐用年数、償却方法、償却率の欄は、決算のときに記入する項目なので、固定資産を購入した時点では空欄のままでかまいません。

　決算日を迎えたら減価償却費を計算して、償却額を記入します。そして備考欄にある事業専用割合に按分計算（224ページ）をしたときの事業に使用した割合をパーセンテージで記入し、それを受けた金額を必要経費算入額に記入します。減価償却費の計算方法については148ページ、決算で1年分の減価償却費を必要経費として計上するやり方については222ページをご覧ください。

固定資産台帳の記入例

例　冷蔵機付陳列ケースを新品で購入。
　　購入金額は、運送費などの諸経費を含め 550,000 円

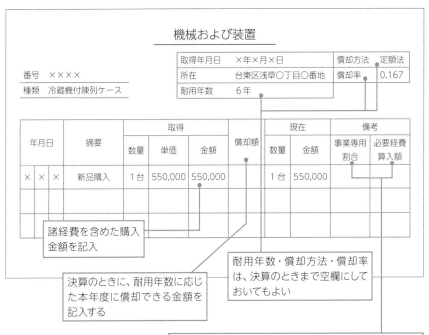

アルバイトやパートに支払う 毎月の給与を計算する

◆ 給与は必ず約束した支払日までに支払う

アルバイトやパートなどを雇ったら、毎月の給与の支払いも事業主の大切な仕事です。採用のときに約束した労働契約（60ページ）にしたがって、給与の額を計算し、支払日までに本人に支払いましょう。

支払い方法が振込みのときは、**金融機関の休みや、振込みの手続きに要する時間も考慮**しなければなりません。たとえば、「所定の支払日が休日にあたる場合にはその前日とする」という記載が労働契約にある場合は、所定の支払日（金融機関の営業開始時間）までに相手の口座に入金しましょう。

◆ 法律によって給与から差し引かれる法定控除

従業員に実際に支払われる支給額は、事業主が従業員に対して支払う合計の「支給額」（一般的には「額面」と呼ばれます）から、社会保険料や税金などの「控除額」を差し引いて求めます。**実際に従業員が受け取れるこの金額を「差引支給額」、一般的には「手取り」**といっています。

毎月の給与計算は、タイムカードや出勤簿などを確認して従業員の労働時間（勤務日数と勤務時間）を集計し、「基本給」を計算することから始まります。時間給の場合、基本給は時間給に労働時間をかけて求めます。労働契約などによって、残業（時間外労働）や休日出勤による割増賃金などが定められている場合は、基本給にそれらを加算します。

こうして求められた金額を「課税支

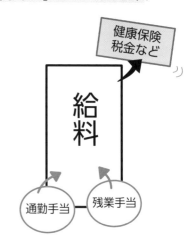

Word 源泉所得税：給与や賞与などから差し引く（徴収する）国税のことです。徴収するため、この手続きを「源泉徴収」といいます。

給額」といい、この金額にさらに「通勤手当」を加算して「支給額」を出します。通勤手当とは、電車やバスの定期券代など、通勤費として支給される手当のことです。

次にこの支給額から、事業主と従業員の間で負担割合が決められている「雇用保険料」（150ページ）と、社会保険の適用事務所（156ページ）であれば社会保険料（事業主と労働者が折半して負担する「健康保険料」と「厚生年金保険料」）を差し引きます。

◆ 「給与所得の源泉徴収税額表」から税額を求める

毎月の給与から差し引く源泉所得税※は、課税支給額を「給与所得の源泉徴収税額表（月額表）」（160ページ）に当てはめて割り出します。

税額は、この表の「甲」欄にある「扶養親族等の数」によって変わってきますが、「給与所得者の扶養控除等（異動）申告書」（132ページ）を提出していない従業員については、それよりも税額が高い「乙」欄の適用になります。

毎月の支給日に従業員に支払うのは、この所得税（国税）と住民税（地方税）、さらに社会保険料がある場合は社会保険料を差し引いた金額になります。前年の所得をもとに計算される住民税（都道府県民税と市区町村民税）の金額は、各市町村から送られてくる書類にしたがいます。

このように、**給与からあらかじめ差し引かれるものを「法定控除」**といいます。

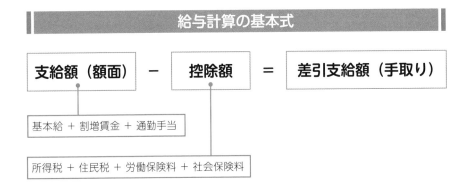

給与計算の基本式

支給額（額面） － 控除額 ＝ 差引支給額（手取り）

基本給 + 割増賃金 + 通勤手当

所得税 + 住民税 + 労働保険料 + 社会保険料

従業員に渡す
給与支払明細書を作成する

◆ 給与を計算したら給与支払明細書の作成する

　給与の計算を済ませたら、事業主は「給与支払明細書」(「給与明細書」ともいいます)を発行し、支払日の前後に従業員に渡さなければならないと法律で義務づけられています。ここに明記されるのは、支給額と控除額の内訳と合計額で、具体的には労働日数・労働時間数・残業時間数などの給与計算の根拠となる情報と、基本給・時間外手当※(残業代)・通勤手当(交通費)などの支給項目とその金額、雇用保険料・社会保険料・源泉徴収された所得税や地方税などの控除項目とその金額などです。これを見れば差引支給額(手取り)がどのように計算されたかがわかります。

　なお、給与計算ソフトを使用した場合は、基本給や時間外手当、各月の勤怠データなどを入力するだけで社会保険料や税金が自動計算され、給与支払明細書が完成します。

◆ 自動計算で計算ミスや記入もれを防ぐ

　法令や労働契約で定められた計算式にしたがう給与計算は、おぼえてしまえば決し難しくはありませんが、端数処理の方法まで決められている細かい計算がたくさんあるため、どうしても間違いが生じやすくなります。給与計算ソフトを利用すればそうしたミスはかなり防げますが、従業員の数が少ない個人事業の場合は、どうしてもその導入に踏み切れないものです。

　そんなときに便利なのが、Excel などの表計算ソフトの利用です。電卓をたたいて数字を確認することは大切ですが、Excel で自動計算すれば計算ミスや記入もれがなくなり、給与計算の作業が効率的になります。Web上でいろいろな Excel の書式のテンプレートが無料提供されているので、自分が使いやすいフォームをダウンロードして使用してみることをおすすめします。

Word **時間外手当：** 残業代のことです。労働時間が法定労働時間(1日8時間、週40時間)を超えた場合、原則として時給を割増して計算する割増賃金が発生します。

給与支払明細書の見本

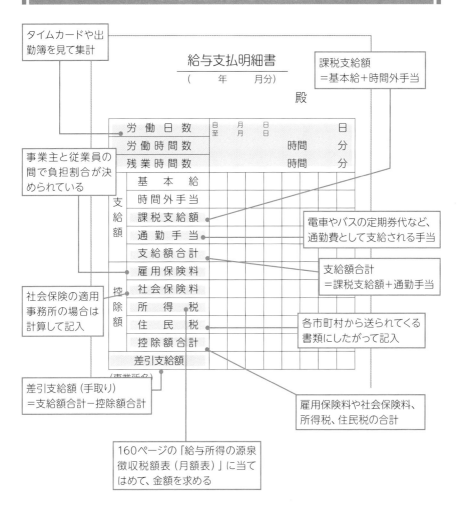

タイムカードや出勤簿を見て集計

課税支給額
＝基本給＋時間外手当

給与支払明細書

（　　年　　　月分）

殿

事業主と従業員の間で負担割合が決められている

労 働 日 数	自 月 日 至 月 日	日
労 働 時 間 数		時間 分
残 業 時 間 数		時間 分

支給額	基 本 給	
	時 間 外 手 当	
	課 税 支 給 額	
	通 勤 手 当	
	支 給 額 合 計	

控除額	雇 用 保 険 料	
	社 会 保 険 料	
	所 得 税	
	住 民 税	
	控 除 額 合 計	

差 引 支 給 額

（事業所名）

電車やバスの定期券代など、通勤費として支給される手当

支給額合計
＝課税支給額＋通勤手当

社会保険の適用事務所の場合は計算して記入

各市町村から送られてくる書類にしたがって記入

差引支給額（手取り）
＝支給額合計－控除額合計

雇用保険料や社会保険料、所得税、住民税の合計

160ページの「給与所得の源泉徴収税額表（月額表）」に当てはめて、金額を求める

賃金台帳に賃金の支払い情報を記録する

　従業員を雇ったら、労働基準法に基づいて、従業員の賃金に関する情報を記載した「賃金台帳」という帳簿をつけなければなりません。この帳簿にまとめられるのは、従業員一人ひとりの月ごとの支給額、源泉所得税、社会保険料などです。この賃金台帳は3年間、保管しなければなりません。

年末に従業員の給与の
所得税額を再計算する

◆ 徴収した源泉所得税は年末に調整する

　源泉徴収される所得税額は、毎月の給与をもとに計算された概算であり、仮のものです。最終的な所得税額は1年間（1月〜12月）の所得（206ページ）に応じて決まるので、**1年間の所得が確定する年末（12月の最終支払日）に正しい所得税額を再計算して、すでに支払った源泉所得税額との差額を調整**します。

　このような手続きを「年末調整」といいます。この年末調整は基本的に事業主が行います。年末調整の結果、納めるべき税額が毎月の徴収額よりも少なかった場合は、不足分を差し引いてその年の最後の給与を支払い、反対に、徴収額が多すぎた場合は、納めすぎた分を最後の給与に加算して支払います。精算の内訳は、最後の給与支払明細書に明記します。

◆ 年末調整に必要な書類を用意してもらう

　年末調整は、**年末調整に必要な資料を従業員が事業主に提出する**ことから始まります。

　たとえば、生命保険料や地震保険料などの保険料にかかわる控除を受ける場合の「給与所得者の保険料控除申告書」、配偶者の所得金額に応じて一定の金額の控除を受ける場合の「給与所得者の配偶者控除等申告書」などです。これらの書類は、年末調整の直前ではなく、余裕をもって12月上旬くらいまでに提出してもらいましょう。

　毎月の給与を支払うためにすでに提出してもらっている「給与所得者の扶養控除等（異動）申告書」（132ページ）についても、そこに記載された配偶者や扶養家族の状況に変更がないかを改めて確認します。

　これらの資料を用意してもらう理由は、配偶者の有無や状況、扶養家族の数、生命保険などの加入状況などによって控除額が変わるためです。ここで適用される控除額には、扶養控除、配偶者控除、社会保険料控除、生

Word **課税所得**：給与だけをもらっている人の場合は、勤務先から受ける給料や賞与などの所得のこと。給与などの収入金額から、給与所得控除額や基礎控除額などを差し引いて算出します。

命保険料控除、地震保険料控除などがあります。控除については、234 ページでくわしく説明します。

◆ 支給額から控除額を引いて課税所得を計算する

　そして次に資金台帳（61 ページ）などを見て、「1 年間の支給額」（源泉徴収される前の金額）を集計します。そこから「給与所得控除額」を差し引き「給与所得」を計算します。その後「所得控除額」を差し引いて、「課税所得※」（課税される所得金額）を計算します。

　課税所得を求めたら、「所得税の速算表」と照らし合わせて、本来納めるべき所得税額を確定します。

　所得税の税率は 5％から 45％の 7 段階に区分されています。たとえば課税所得が 200 万円の場合、10％の税率をかけて、そこから 97,500 円の控除額を引くと、所得税額 102,500 円が算出されます。最新の法令改正を反映した年末調整のしかたについては、国税庁作成のパンフレットやホームページなどを参考にしてください。なお、2037 年までの各年分の確定申告においては、所得税と復興特別所得税をあわせて申告・納付します。復興特別所得税とは東日本大震災からの復興のために使われる税金です。2037 年まで所得税に 2.1％をかけた額を所得税とあわせて納めます。

所得税の速算表

課税される所得金額	税率	控除額
195 万円未満	5%	0 円
195 万円以上 330 万円未満	10%	97,500 円
330 万円以上 695 万円未満	20%	427,500 円
695 万円以上 900 万円未満	23%	636,000 円
900 万円以上 1,800 万円未満	33%	1,536,000 円
1,800 万円以上 4,000 万円未満	40%	2,796,000 円
4,000 万円以上	45%	4,796,000 円

※課税される所得金額は 1,000 円単位の端数は切り捨て

● 11月中旬から12月上旬くらいまでに

■個々の従業員に必要な書類を用意してもらう

「給与所得者の扶養控除等（異動）申告書」

「給与所得者の保険料控除申告書」

「給与所得者の配偶者控除等申告書」など

● その年の最後の給与※を支払う前

■給与所得を計算する

課税所得（課税される所得金額）＝ 1年間の支給額 － 給与所得控除額 － 所得控除額

★主な控除額……扶養控除、配偶者控除、社会保険料控除、生命保険料控除、地震保険料
控除など（234ページ）

■所得税額と復興特別税を計算する

課税所得を「所得税の速算表」に当てはめて、本来納めるべき所得税額を確定。

課税所得に2.1％をかけて復興特別所得税を算出

● その年の最後の給与の支払い日

■差額を調整する

その年の最後の給与の支払いで、差額を調整

★支払い超過の場合　……本人に還付する

月々の給与から 天引きされた所得税額	＞	年末に確定した正しい所得税額 および復興特別所得税

★支払い不足の場合　……本人から追加徴収する

月々の給与から 天引きされた所得税額	＜	年末に確定した正しい所得税額 および復興特別所得税

● 1月31日（年末調整の最終期限）までに

■給与支払報告書と源泉徴収票を提出

給与支払報告書を従業員が居住している

自治体（市区町村）に2通、源泉徴収票を本人と

税務署に1通ずつ提出

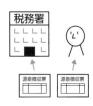
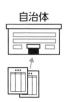

税務署　　　自治体

源泉徴収票　源泉徴収票

 給与：雇用契約における労働の対価のことです。一般的には「給料」、労働基準法では「賃金」、
所得税法では「給与」、健康保険法などでは「報酬」などと呼ばれています。

◆ 給与支払報告書と源泉徴収票を作成する

「年末調整」（差額の調整）が済んだら、**従業員一人ひとりについて「給与支払報告書（個人別明細書）」と「源泉徴収票」を作成**します。

給与支払報告書（個人別明細書）は、住民税（都道府県税や市町村民税）の計算のもとになる書類で、その税額は自治体が計算し、本人に通知します。対象者は、翌年1月1日に在籍しているすべての従業員（年末調整をしない人も対象）で、年の途中で退職した人についても給与支給額が30万円を超える場合は提出義務があります。

源泉徴収票は所得税に関する書類で、従業員が自分で確定申告をする場合には、本人もこの書類が必要になります。

どちらも給与を支払った翌年の1月31日までに、給与支払報告書（個人別明細書）は受給者（従業員）が居住している自治体（市区町村）に2通、源泉徴収票は本人と税務署に1通ずつ提出します。記載する内容はどちらもほとんど同じで、複写式になっているものもあります。

給与支払報告書（個人別明細書）を自治体に提出するときは、自治体が独自に作成している「総括表」を表紙としてつけて、その市町村に提出する給与支払報告書の数、住民税の納付のしかた（普通徴収か特別徴収か）、退職者の内訳などをまとめて記入します。

なお、「給与支払報告書」や「源泉徴収票」は、自治体（市区町村）や税務署の窓口で入手できるほか、自治体のホームページからダウンロードすることができます。

住民税の普通徴収と特別徴収

住民税の納付方法には、普通徴収と特別徴収の2通りがあります。普通徴収は、住民税額を市区町村が本人へ直接通知し、6月・8月・10月・翌年1月の年4回に分けて納税する方法。特別徴収は、市区町村が本人の勤務先に通知し、給与の支給金額から天引きする形で6月から翌年5月までの12回に分けて（翌月10日までに）納付する方法です。従業員が2人以下の事業所の場合は普通徴収が認められます。また、従業員が常時10人未満の場合は納付を6月10日と12月10日の年2回にすることもできます（136ページ）。

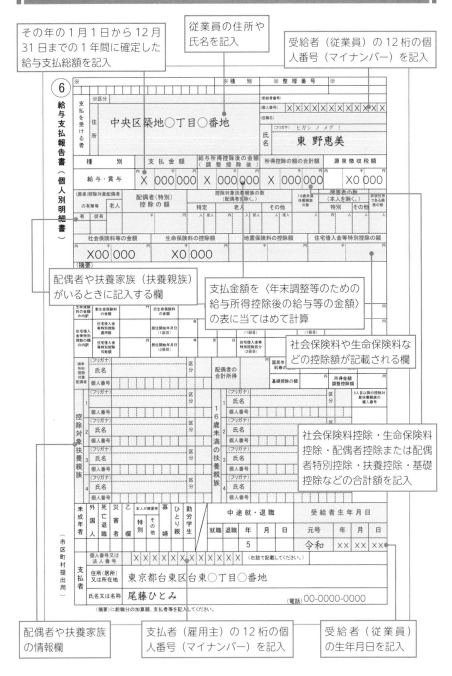

その年の1月1日から12月31日までの1年間に確定した給与支払総額を記入

従業員の住所や氏名を記入

受給者（従業員）の12桁の個人番号（マイナンバー）を記入

配偶者や扶養家族（扶養親族）がいるときに記入する欄

支払金額を〈年末調整等のための給与所得控除後の給与等の金額〉の表に当てはめて計算

社会保険料や生命保険料などの控除額が記載される欄

社会保険料控除・生命保険料控除・配偶者控除または配偶者特別控除・扶養控除・基礎控除などの合計額を記入

配偶者や扶養家族の情報欄

支払者（雇用主）の12桁の個人番号（マイナンバー）を記入

受給者（従業員）の生年月日を記入

194

源泉徴収票の記入例

該当する場合は、従業員から提出を受けた「給与所得者の配偶者控除等申告書」をもとに、配偶者（特別）控除額を記入

年末調整で確定した「源泉所得税及び復興特別所得税の合計額」を記入

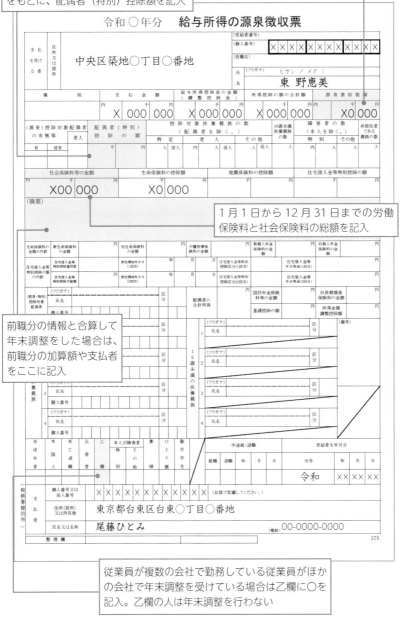

1月1日から12月31日までの労働保険料と社会保険料の総額を記入

前職分の情報と合算して年末調整をした場合は、前職分の加算額や支払者をここに記入

従業員が複数の会社で勤務している従業員がほかの会社で年末調整を受けている場合は乙欄に〇を記入。乙欄の人は年末調整を行わない

195

仕訳をして仕訳帳と
総勘定元帳に記入する

◆ 複式簿記の記入のしかたを理解する

　180 ～ 185 ページでは、10 万円の青色申告特別控除が受けられる簡易式簿記での帳簿のつけ方を説明しましたが、ここでは 55 万円または 65 万円の控除が受けられる複式簿記について簡単に紹介しましょう。

　現在は会計ソフトを使った経理が主流であるため、特別な知識がなくても必要な書類を作成できますが、複式簿記の基本ルールをある程度おぼえ ておけば、帳簿への理解が深まり、経理業務をスムーズに行えます。

　複式簿記のしくみを理解するには、「仕訳」という大原則と、仕訳帳と総勘定元帳（主要簿）への記入方法を知っておく必要があります。

　仕訳とは、一つの取引を 2 つの事柄に分解し仕訳帳の左右の欄に記入することです。**仕訳帳の左側を「借方**※**」、右側を「貸方**※**」といい、左右それぞれには数字とともに、勘定科目が入ります。**

　たとえば、小売店が 2 万円の商品を売って現金で支払いを受けたときは、次のような仕訳をし、仕訳帳には次ページのように記入します。

仕訳の例

	借方		貸方	
5／1	現金	20,000	売上	20,000

この仕訳で説明されているのは、「現金が 2 万円増えた」そして「2 万円の売上を得た」という取引に関する 2 つの事柄。上記の取引が掛けで支払われた場合、借方の勘定科目は「現金」ではなく「売掛金」になる

　会計ソフトでは、この仕訳さえ入力すれば、そのデータをもとに必要な帳簿がすべて作成されるので、金額の集計もれや計算ミスもなく、経理にかかわる作業時間が大幅に削減できます。

Word **借方、貸方**：仕訳で左右に配置をするときの左側を借方といい、右側を貸方といいます。複式簿記の特有の表現ですので、暗記してしまいましょう。

仕訳帳への記入例

仕訳帳

××年	金額	借方	適要	貸方	金額
5月1日	20,000	現金	○○商事への商品販売	売上	20,000

取引の具体的な内容を記載

◆ 勘定科目はグループに分かれている

勘定科目は「資産」「負債」「純資産」「収益」「費用」という5つのグループに分類され、グループごとに仕訳のルールが決められています。

たとえば、現金や預金などは「資産」グループに属していて、増えたら借方（左側）へ、減少したら貸方（右側）へ記入します。売上は「収益」グループに属していて、発生（増加）したら貸方へ、返品や値引きなどの理由で減少があったときは借方へ記入します。

また、買掛金などは、いずれ返さなければならない「負債」です。このような「負債」グループに属している勘定科目は、増えたら貸方へ、減ったら借方へ記入します。仕入や必要経費のような「費用」が出ていくものは、「費用」グループに属している勘定科目です。「費用」グループは、発生（増加）したら借方へ、減ったら貸方へ記入します。

なお「純資産」グループは資本金などで、個人事業ではまず発生しません。

勘定科目のグループの仕訳

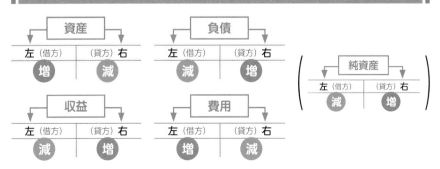

197

◆ 勘定科目のグループは決算書に準じている

　「仕訳」をするときの「資産」「負債」「純資産」「収益」「費用」の5つのグループは、実は、貸借対照表と損益計算書の左側と右側に関係しています。

　貸借対照表は、下図のように「資産」「負債」「純資産」の3つに分かれていて、「資産」は左側にあり、「負債」と「純資産」は右側にあります。仕訳をするとき、貸借対照表の左側にある「資産」が増えると左側（借方）に入ります。反対に、減少すると右側（貸方）に仕訳されます。

　貸借対照表の右側にある「負債」と「純資産」は、増えると右側（貸方）に入り、減ると左側（借方）に仕訳されるのです。

　残る「収益」「費用」グループは、損益計算書の右と左に配置されています（下図）。仕訳をするとき、損益計算書の左側にある「費用」が増えると左側（借方）に入り、反対に減少すると右側（貸方）に入ります。

　損益計算書の右側にある「収益」が増えると右側（貸方）に入り、減る

決算書と勘定科目のグループの関係

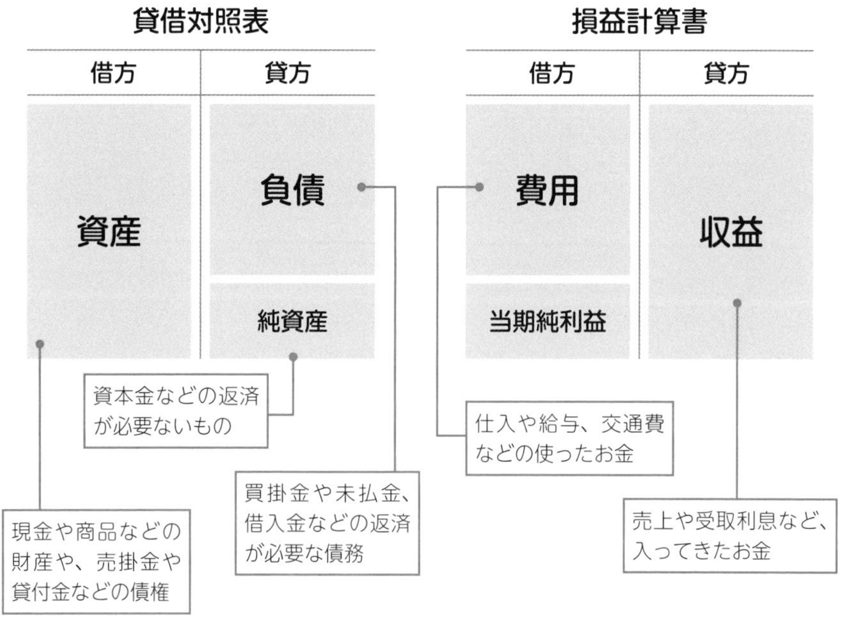

貸借対照表

借方	貸方
資産	負債
	純資産

資本金などの返済が必要ないもの

買掛金や未払金、借入金などの返済が必要な債務

現金や商品などの財産や、売掛金や貸付金などの債権

損益計算書

借方	貸方
費用	収益
当期純利益	

仕入や給与、交通費などの使ったお金

売上や受取利息など、入ってきたお金

Word **当期純利益**：その1年間で稼いだ最終的な利益のこと。本来は、所得税などを差し引いたあとの利益をいいますが、ここはあえて税金を無視して解説しています。

と左側（借方）に仕訳されるのです。

なお、損益計算書の「当期純利益[※]」とは、最終的に残った利益ですから、仕訳の必要はありません。

◆ 仕訳帳を総勘定元帳に転記する

仕訳をして取引の結果を仕訳帳に記入したら、次にそれを総勘定元帳に書き移します。

総勘定元帳とは、勘定科目ごとに、取引の発生順（日付順）に金額の増減を記入した帳簿です。売上や仕入をはじめ、会議費、旅費交通費、新聞図書費、さらには売掛金や買掛金など、すべての取引を記録したものが総勘定元帳です。

その勘定科目が仕訳帳で借方に記入されている場合は借方欄に、貸方に記入されている場合は貸方欄にその金額を書き移します。

このように**仕訳帳を見ながら、すべての取引を勘定科目ごとに総勘定元帳に書き移すことを、「転記」**といいます。

なお、仕訳帳から記帳せずに、先に現金出納帳（180ページ）への記入を済ませてから、仕訳帳や総勘定元帳に転記するような場合もあります。

総勘定元帳への転記の例

総勘定元帳

[現金]

××年	摘要	借方	××年	摘要	貸方
5月1日	売上	20,000			

摘要欄には相手科目（借方の勘定科目から見た場合、貸方に入る勘定科目）を記入する

[売上]

××年	摘要	借方	××年	摘要	貸方
			5月1日	現金	20,000

199

取引発生から総勘定元帳へ転記するまでの流れをおさらいしておきましょう。

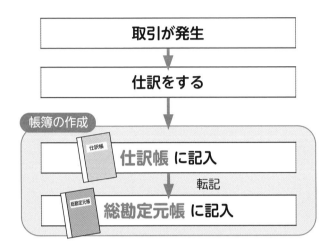

取引発生から転記までの流れ

取引が発生

仕訳をする

帳簿の作成

仕訳帳 に記入

転記

総勘定元帳 に記入

会計ソフトを使えば経理がラクになる

　これまで見てきたように、複式簿記の帳簿づけは手間のかかる作業です。しかし、会計ソフトを利用すれば、簿記や経理の専門的な知識がなくても比較的簡単に複式簿記の帳簿がつけられます。

　確定申告に必要な添付書類（損益計算書、貸借対照表、月別売上金額の一覧表など）も自動的に作成できるので、税理士に頼んだりする費用も節約できます。

　また、損益計算書、貸借対照表を簡単に作ることができるため、毎月、月単位の決算書を容易に見ることもできます。これを試算表といいますが、毎月のように試算表を見ることで、経営判断もすることができます。

　さらに、消費税申告のために必要な請求書等の保存、税別ごとに区別した取引の記帳、電子帳簿の保存にも会計ソフトは役立ちます。

　会計ソフトには、パソコンにインストールして利用するソフトウェア型や、ネット上でブラウザアクセスするクラウド型があるので、自分に合った使い勝手がいいものを選びましょう。

第6章

◆

決算と確定申告

確定申告で事業所得と申告納税額を計算する

◆ 1年間の"もうけ"と税額を自分で計算する

　確定申告とは、**毎年1月1日から12月31日までの1年間の所得の金額と、それに対する所得税などの金額を計算する手続き**のことです。所得とは個人事業主の事業のもうけ（事業所得※）や、会社からもらっている給与（給与所得）などのことです（206ページ）。確定申告では、これらの所得を計算して正しい税額を計算します。

　会社員の場合は、本人に代わって会社が所得税を給与から天引きし、年末調整（190ページ）で精算して1年間の所得税を確定してくれるので、基本的に確定申告の必要はありません。しかし、個人事業主は自分で事業所得の金額と納める税金の額を計算した確定申告書を税務署に提出するとともに、納税しなければならないのです。また、副業で一定以上の収入を得ている人（212ページ）も、副業による所得や本業の給与所得を計算し、確定申告を行う必要があります。

　確定申告書の受付は、2月16日から3月15日まで（土日にあたる場合は次の月曜日）です。この期間に申告書などの提出を済ませ、確定申告分の税金を税務署に納めます。

◆ 収入から必要経費を差し引いて所得を求める

　確定申告では、1年間の売上を集計して「収入」を求め、そこから仕入（売上原価）を含めた「必要経費」を差し引いて所得を求めます。たとえば白色申告の場合、個人事業の収入が800万円あり、必要経費が500万円だとすると、事業所得は300万円になるというわけです。

収入 （事業の総売上） **800万円**	−	必要経費 （仕入を含む） **500万円**	=	事業所得 （事業のもうけ） **300万円**

Word **事業所得**：事業から生じる所得を「事業所得」といいます。1年間の収入から必要経費を差し引いた、税法上の利益、いわゆる"もうけ"のことです。

　確定申告で申告する税金は、所得税、復興特別所得税、消費税の３つです。このうち所得税と復興特別所得税は事業所得の金額に対してかかり、消費税は消費税の課税対象となる売上である「課税売上高」から、消費税の課税対象となる仕入や必要経費の購入などの「課税仕入高」を差し引いたものにかかります（138・242ページ）。

　なお、住民税（193ページ）や個人事業税（118ページ）は、所得税を税務署に申告すれば、都道府県や市区町村から納税通知書が送られてくるので、計算や申告の必要はありません。

個人事業主が納める主な税金

所 得 税	個人の所得に対して課せられる税金。国に納めるので国税という
復興特別所得税	東日本大震災からの復興のために使われる税金。所得税額に2.1%を上乗せする形で徴収される
住 民 税	都道府県民税と市区町村民税。これらは地方税とも呼ばれ、市区町村が一括して徴収する
個人事業税	法定業種の事業（118ページ）をしている人にかかってくる税金。都道府県税事務所に納めるので、地方税に属する
消 費 税	モノやサービスを消費したときにかかる税金（138ページ）。税金を支払う人と納める人が異なるので間接税という

会社を辞めた翌年の確定申告について

　会社を辞めて個人事業を開始したら、翌年の２月16日から３月15日までの間に、住所地を管轄する税務署で確定申告を行います。確定申告には、退職時に受け取った給与所得の源泉徴収票（195ページ）が必要になるので、大切に保管しておきましょう。

　住民税は、前年の所得に対して税額が決まります。会社員の場合、翌年の６月から翌々年の５月にかけて12等分したものを毎月の給与から天引きし、会社が本人に代わって納めてくれますが、個人事業主は自分で市区町村に住民税を納付しなければなりません。

　会社を辞めた最初の年（年度の途中で会社を辞めた場合）は、住民税の残額分をまとめて会社に払うか、自分で直接、市区町村へ納付することになります。自分で納付する場合、退職後しばらくすると市区町村から納付書が届くので、受け取ったら期日までに納付を済ませましょう。

毎日の帳簿記入から
確定申告までの流れ

◆ 個人事業の区切りは１月１日〜 12 月 31 日

　事業の１年間の経営成績や財政状況をまとめることを「決算」といいます。
　日々の取引を帳簿に記入する目的は、「決算書」といわれる損益計算書や貸借対照表を作成して、１年間の経営成績や財政状況をまとめることです。決算書は、新しい年の事業計画を立てるときに役立つほか、青色申告を行う際にも使われます。
　個人事業の場合、**１月１日から 12 月 31 日までの区切りで決算が行われ、その期間内での取引や財産が集計**されます。そして、この決算をもとに事業の"もうけ"を数字で割り出し、国などに納める税金を計算するのです。
　ちなみに、事業の区切りの最終日を「決算日」といいます。個人事業の場合、決算日は 12 月 31 日です。

◆ 収入や必要経費などを計算し、決算書を完成させる

　確定申告には、白色申告と青色申告があります。白色申告は、最低限の簡易的な帳簿での記録をもとにした申告です。一方、青色申告は帳簿の記入や決算書の作成に手間がかかりますが、それ以上に税金が少なくなる特典があります（216 ページ）。
　青色申告を行う人は、決算の結果を青色申告決算書と確定申告書に記入し、翌年の２月 16 日から３月 15 日までに税務署に提出し、所得税や復興特別所得税などを納めます。医療費控除や生命保険料控除など、税金を安

2/16　3/15　確定申告期間

Word　控除：税額を計算するときの「所得」（206 ページ）から差し引くもの。控除額が多いほど納める税金は少なくなります（234 ページ）。

くすることができる「控除※」を受ける場合は、その計算も行い確定申告書に記載しなければなりません。

　下に示したのは、青色申告をする場合の、**日々の取引を記録するための領収書の整理や帳簿記入から確定申告までの流れ**です。

確定申告までの流れ

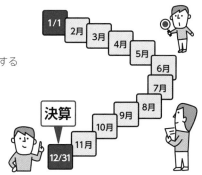

【1月1日〜 12月31日】
・領収書や請求書を整理する
・帳簿を用意し、すべての取引を記録する
・月ごとに数字を集計し、帳簿ごとに集計する
・月ごとの財産や経営状態をチェックする

【12月31日】決算日
・新たな年の事業計画を立てる

【翌年の1月初旬】
・決算整理を行う⇒ 218ページ

【1月末頃】税務署から確定申告に必要な書類が届く
・支払調書（210ページ）、社会保険料（国民年金保険料）の控除証明書、生命保険料の控除証明書など控除の書類（234ページ）をそろえる
・〈青色申告決算書〉を作成する⇒ 226ページ
・〈確定申告書〉を作成する⇒ 232ページ

【2月16日〜3月15日】申告書の受付期間
・税務署に「確定申告書」と「青色申告決算書」、必要な添付書類を提出する
・所得税を納める

Check!

口座引き落としで納税をする場合

　「振替納税」を利用すれば、預金口座からの口座引落しで税金を納付することができます。振替納税を希望する場合は、「預貯金口座振替依頼書兼納付書送付依頼書」（振替依頼書）を作成し、確定申告の申告期限（3月15日）までに納税地を所轄する税務署または振替依頼書に記載した金融機関へ提出します。

個人事業主が知っておくべき「所得」に関する基礎知識

◆「収入」と「所得」の違いは何か？

税金の計算では、「収入」と「所得」を区別して考えます。収入とは、会社からもらっていた給与や、パートやアルバイトで得た給与のことです。個人事業で製品やサービスを売って得たお金（売上）も収入になります。

これに対して所得とは、収入から必要経費を引いて残った金額です。個人事業の場合、収入から仕入や必要経費を差し引いた額が所得になります。所得は税法上の利益であり、所得税や住民税の計算はこの所得をベースに計算されます。

◆ 個人事業に関係の深い３種類の所得

所得税法上、所得は事業所得や給与所得など10種類に分類されています。ここでは、個人事業や副業を行う人に関係の深い、事業所得、給与所得、雑所得について説明しましょう。

事業によって得られる収入を「事業収入」といい、そこから必要経費や青色申告特別控除額（216ページ）を差し引いた金額を「事業所得」といいます。

これに対して、勤務先から支払いを受ける給料・賃金・賞与などを「給与収入」といい、そこから給与所得控除を差し引いた金額を「給与所得」と呼びます。会社員でも筆記用具を購入するなど、仕事をするために必要な経費がかかります。そのため、給与所得控除（収入金額に応じて設定）というものを必要経費の代わりに収入から差し引いています。

「雑所得」とは、ほかの所得に当てはまらない所得のことです。別の本業をもっている人が受け取る原稿料や講演料などが、それに当たります。

一般的に会社員が副業で得た所得は雑所得になりますが、個人事業主として開業したことを届け出れば（116ページ）「事業」となり事業所得です。雑所得は「雑収入」から必要経費を差し引いて求めることができます。

Point **本業と本業以外の区別**：ライターならば原稿料が、講師ならば講演料が、本業（事業）による収入であるため、雑所得ではなく事業所得になります。

所得の種類

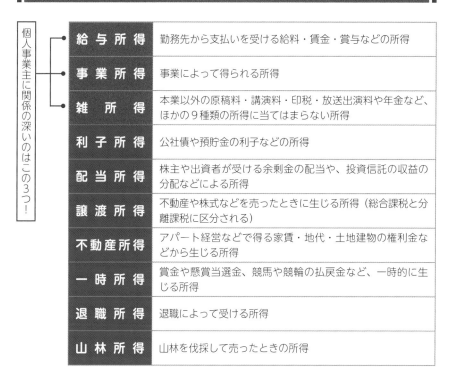

個人事業主に関係の深いのはこの3つ！	**給 与 所 得**	勤務先から支払いを受ける給料・賃金・賞与などの所得
	事 業 所 得	事業によって得られる所得
	雑 所 得	本業以外の原稿料・講演料・印税・放送出演料や年金など、ほかの9種類の所得に当てはまらない所得
	利 子 所 得	公社債や預貯金の利子などの所得
	配 当 所 得	株主や出資者が受ける余剰金の配当や、投資信託の収益の分配などによる所得
	譲 渡 所 得	不動産や株式などを売ったときに生じる所得（総合課税と分離課税に区分される）
	不 動 産 所 得	アパート経営などで得る家賃・地代・土地建物の権利金などから生じる所得
	一 時 所 得	賞金や懸賞当選金、競馬や競輪の払戻金など、一時的に生じる所得
	退 職 所 得	退職によって受ける所得
	山 林 所 得	山林を伐採して売ったときの所得

Check!

総合課税と申告分離課税

　所得は種類ごとに、所得金額を計算しなければなりません。所得は上の表のように10種類に分類され、それに応じて「総合課税」「申告分離課税」といった課税方法が決められています。

　総合課税は、確定申告によって他の所得と合算して税金を計算する制度です。ここに当てはまるのは、「事業所得」「不動産所得」「総合課税の利子所得（国外で支払われる預金などの利子）」「総合課税の配当所得（法人から受ける剰余金の配当など）」「給与所得」「雑所得」「総合課税の譲渡所得（ゴルフ会員権や機械などを譲渡したときの所得）」「一時所得」です。

　一方、申告分離課税は、他の所得と分離して税金を計算する制度で、「申告分離課税の譲渡所得（土地や建物、株式などを譲渡したときの所得）」「退職所得」「山林所得」などが当てはまります（このほか「事業所得」「利子所得」「配当所得」「雑所得」の一部が申告分離課税となる例外もあります）。

所得税などが差し引かれている フリーランスの報酬

◆ フリーランスに支払われる報酬は源泉徴収されている

　フリーランスの個人事業主が受け取る報酬※は、支払う者が事前に所得税などを差し引き、残りの金額が振り込まれます。この**事前に所得税などを徴収してから、支払いを行う制度を「源泉徴収」といいます**。たとえば、フリーランスに支払われる原稿料、デザイン料、イラスト料、モデル料、コンサルタント料などです。

　報酬に対する源泉徴収の税率には、**所得税の税額（10%）に復興特別所得税の税額（所得税額の2.1%）が加算**されています。つまり、報酬の金額が100万円以下の場合、金額の10.21%が源泉徴収額として差し引かれます。ただし、100万円を超えた場合、100万円までは10.21%、100万円超の分は20.42%で計算されます。

　ちなみに、復興特別所得税とは、東日本大震災からの復興のために使われる税金です。2013年からの25年間（2037年まで）、源泉徴収される所得税額に2.1%を上乗せするという形で徴収されています。

　源泉徴収が発生するものとして、ほかには会社から出る「給与」があります。こちらの算出方法などは186ページを参照してください。

源泉徴収のしくみ

個人事業主や 従業員	報酬や給与の 支払者	税務署

 事前に税金を差し引いた額を支払う　←　 ○○出版　→　差し引いた税金を納める　 税務署

 報酬：雇用契約がない労働や物の使用に対する対価として支払われる金銭のこと。ここでは、会社員が受け取る「給与」と区別して、個人事業主が受け取る金銭を「報酬」と呼んでいます。

源泉徴収の税額の内訳と計算

$$\boxed{\begin{array}{c}\text{源泉徴収の税額}\\(10.21\%)\end{array}} = \boxed{\begin{array}{c}\text{所得税の税額}\\(10\%)\end{array}} + \boxed{\begin{array}{c}\text{復興特別所得税の}\\\text{税額（0.21\%）}\end{array}}$$

●支払金額が100万円以下
　の場合の源泉徴収額

$$\boxed{\text{支払金額}} \times \boxed{10.21\%} = \boxed{\text{源泉徴収税額}}$$

例 50万円の原稿料がフリーランスの個人事業主に支払われた場合

500,000円 × 10.21% = **51,050円**

　　　　　　　　　　　源泉徴収金額

500,000円 + 50,000円 − 51,050円 = **498,950円**
　　　　　　　（消費税）

　　　　　　　　　　　　　　　フリーランスに入金される額

●支払金額が100万円を超えた場合の源泉徴収額

$$\boxed{\text{（支払金額}-100\text{万円）}} \times \boxed{20.42\%} + \boxed{102,100\text{円}} = \boxed{\begin{array}{c}\text{源泉徴収}\\\text{税額}\end{array}}$$

例 130万円の原稿料がフリーランスの個人事業主に支払われた場合

（1,300,000円 − 1,000,000円）× 20.42% = 61,260円

1,000,000円 × 10.21% = 102,100円

102,100円 + 61,260円 = **163,360円**

　　　　　　　　　　源泉徴収金額

1,300,000円 + 130,000円 − 163,360円 = **1,266,640円**
　　　　　　　　　（消費税）

　　　　　　　　　　　　　　　フリーランスに入金される額

◆ 支払調書は確定申告に必要な大切な書類

　フリーランスが「報酬」を得ている場合、通常、年明けすぐに報酬の支払者から「支払調書」というものが送られてきます。

　支払調書とは、1年分の報酬がまとめられている書類のことです。そこに記載されているのは、支払われた報酬額と、源泉徴収によって差し引かれている税金などです。支払調書は確定申告の作成に必要なので、金額を確認したら大切に保管しましょう。

　実は、支払調書の送付は、支払者に義務づけられたものではありません。支払われた報酬額と、源泉徴収額を把握し、正しい確定申告をするためにも、個人事業主は、請求書に記した金額と口座に入金された金額を、その都度確認し、正確に記録しておきましょう。そうすれば、たとえ支払調書が送られてこなくても、差し引かれた（支払済の）税金の額がわかります。

支払調書の見本

金額に間違いがないか、必ず確認すること

令和〇年分　報酬、料金、契約金及び賞金の支払調書

| 支払を受ける者 | 住所(居所)又は所在地 | 台東区台東〇丁目〇番地 | | |
| | 氏名又は名称 | 〇〇〇〇〇〇 | 個人番号又は法人番号 ××××××××××× | |

区　分	細　目	支払金額	源泉徴収税額
原稿料	雑誌「〇〇」連載	内　110千000円	内　10千210円

（摘要）支払いを受ける者の登録番号　Ｔ××××××××××××
合計金額 100,000円　消費税率 10%対象 10,000円　税込合計金額 110,000円

| 支払者 | 住所(居所)又は所在地 | 台東区浅草〇丁目〇番地　　Ｔ××××××××××× | | |
| | 氏名又は名称 | 株式会社〇〇出版　（電話）××-××××-×××× | 個人番号又は法人番号 ××××××××××× | |

| 整　理　欄 | ① | | ② | |

〇個人番号又は法人番号〕欄に個人番号（12桁）を記載する場合には、右詰で記載します。

309

支払調書に書かれた金額や情報は、〈確定申告書　第二表〉（240ページ）にある〈所得の内訳〉を記入する際に役立つ

Point　**資金繰り**：お金のやりくりのこと。掛取引などの場合、入金よりも先に支払いをするケースもあり、そのときの資金を準備しておくことを表します。

◆ 源泉徴収されずに報酬が支払われた場合

　フリーランスが報酬を受ける場合、ほとんどのケースでは所得税などが天引きされて支払われますが、**源泉徴収されずに報酬が振り込まれるケースがあります**。たとえば、「Uber Eats（ウーバーイーツ）」の配達パートナーなどです。もちろんその場合も、税金を納めなくてよいわけではありません。

　源泉徴収されずに報酬が支払われたら、その分を考慮して確定申告書を作成し、自分で税額を計算して税金を納めます。個人事業や副業の場合、一定期間にまとまった支払いが発生すると、資金が足りなくなることがあるので、支払われる報酬が源泉徴収の対象となるか、取引をスタートさせる前に確認しておきましょう。

◆ 源泉徴収額と消費税の関係

　報酬の金額と消費税の金額が請求書で区別されている場合は、報酬の金額のみを源泉徴収の対象になります。ただし区別されていないときは、その金額が対象になります。

　たとえば請求書に原稿料 110,000 円とだけ記載がある場合は、源泉徴収額は 110,000 円× 10.21％ = 11,231 円になります。

　一方、請求書に原稿料 100,000 円、消費税 10,000 円と区別して記載されている場合は、源泉徴収は原稿料のみが対象になるので、100,000 円× 10.21％ = 10,210 円になります。

税金が戻ってくるケースもある

　確定申告の際、自分で税額を計算した結果、支払うべき税金が、事前に源泉徴収された金額よりも少ない場合は、確定申告によって納めすぎた税金を取り戻すことができます。

　払いすぎた税金が戻ってくることを「還付」といい、そのお金を「還付金」といいます（逆に、支払うべき税金のほうが多い場合は、不足している分を納税します）。還付を受ける場合、確定申告書に還付金が振り込まれる金融機関を書き入れます（238 ページ）。

所得がある人は
確定申告をしなければならない

◆ 所得があれば確定申告をしなければならない

　原則として給与所得以外の「所得」がある人は、全員が確定申告をしなければなりません。所得があるにもかかわらず、故意に納税の義務を怠ると、本来払うべき税金に加えて「無申告加算税※」「延滞税※」「重加算税※」という大きなペナルティを受けることになるので注意が必要です。

　ただし、収入から必要経費を差し引いて所得がゼロまたはマイナスになったときや、所得の合計額（207 ページ）が所得控除額（234 ページ）の合計を下回っているときは、確定申告をする必要はありません。なぜなら税金は所得をもとに計算されるので、所得がなければ税金を納める必要がないからです。

　事業所得に純損失が生じて赤字になった場合などは、青色申告の特典で損失の繰り越しをすることで、次年度以降の税金を下げることができるため、所得がマイナスでも確定申告をしたほうが有利です。

◆ 副業で所得を得ていて、確定申告が不要な場合

　会社員が副業などで収入を得ている場合は、給与以外の所得の金額によって確定申告が必要であるかないかが決まります。

　自分が会社員で給与所得を得ていて、勤めている会社が年末調整で納税手続きを完了している場合、給与所得（退職者所得を含む）以外の所得の合計が 20 万円以下であれば、確定申告は不要です。

　ここで注意したいのは、20 万円の所得には、副業などのほかに、家賃収入などの不動産所得や、FX や仮想通貨などの売買で得た利益（雑所得）などが含まれるということです。給与所得以外の所得の合計が 20 万円を超える場合は、確定申告をしなければなりません。

　また、年末調整のみで納税手続きが完了しない人、たとえば年間の給与収入が 2,000 万円を超えている人などは、確定申告ですべての所得を申告

Word 　**無申告加算税、延滞税、重加算税：**申告を忘れた場合は「無申告加算税」、期限までに納付しない場合は「延滞税」、事実の隠ぺいを行った場合は「重加算税」が加算されます。

しなければならないので注意しましょう。

　所得があれば確定申告をしなければならないという基本ルールは、ほかに本業をもたない主婦や学生などにも当てはまります。ただし、前述のとおり、所得の合計額が所得控除額の合計を下回っているときは、確定申告をする必要はありません。

こんな人は確定申告をしなければならない

1）	副業の所得が 20 万円を超えている人
2）	ほかに収入源がなく、副業の所得が 48 万円を超えている人
3）	給与の年収が 2,000 万円を超えている人
4）	2 か所以上から給与の支払いを受けていて、年末調整をされなかった給与収入金額と各種所得金額（給与所得、退職所得を除く）との合計額が 20 万円を超えている人

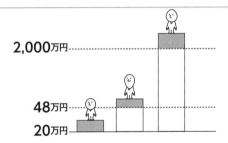

◆ 申告もれや無申告は絶対に許されない

　確定申告をして税金を納めなければいけないのは、**ネットショップやネットオークション、ネット広告などで収入を得ている人**も同じです（214ページ）。インターネット取引の申告もれや無申告者については、国税局の「電子商取引専門調査チーム」が調査を実施し、きびしい取り締まりをしているので、税の申告は適正に行いましょう。

　また、株式の売買で得た利益についても確定申告が必要です。ただし、特定口座（源泉徴収あり）を利用している場合は、証券会社が売買で得た利益から源泉徴収をしているので、確定申告の必要はありません。

　FXや仮想通貨の売買で利益を得た場合は、別で確定申告が必要です。

メルカリやヤフオク!などで得た所得も確定申告が必要

◆ 不用品の処分には税金がかからない？

不用品などを<mark>メルカリやヤフオク!などに出品して収入を得た場合、税金がかからない「非課税所得」とみなされることがあります。</mark>

確定申告が必要か不要かは、212ページで示した条件のほか、出品物の内容によって決まります。税金がかからないため、確定申告が不要になるのは、着なくなった洋服や使わなくなった家具など、普段の生活で使っている生活必需品や、30万円以下の貴金属・書画・骨董品などです。

ただし、家にある不用品であっても30万円を超える貴金属・書画・骨董品は課税の対象になり、生活用品であっても転売（営利）目的の出品物だとみなされる場合は、確定申告が必要なケースがあるので注意が必要です。確定申告を怠って税金を納めなかった場合、延滞税、無申告加算税、重加算税などのペナルティが課せられます。

◆ 所得は事業所得か雑所得に分類される

メルカリやヤフオク!で収入を得た場合、その所得は事業所得か雑所得に分類されるのが一般的です（30万円を超える貴金属・書画・骨董品などを売却した場合、譲渡所得になる場合もあります）。

206ページで説明したように事業所得は、事業によって得られた所得です。メルカリやヤフオク!の出品が事業になるかどうかは、出品が繰り返し行われているか、継続的なものであるか、個人として独立して行っているかなどの基準によって総合的に判断されます。<mark>事業ではないと判断された場合、副業とみなされて雑</mark>

Word **按分計算**：自宅やパソコンなどを私用と業務用で使用している場合、その使用割合によって金額を分けて計算することです（224ページ）。

所得になります。そのため会社員が副業で得た所得は、ほとんどの場合、雑所得になります。個人事業を開業する旨を届け出た場合は、事業所得になります。

次にメルカリやヤフオク！で所得を得ている場合の、売上と必要経費について考えてみましょう。

一般的に**売上は、入金された金額ではなく、手数料を差し引く前の売却価格**になります。必要経費として認められる可能性があるのは、仕入代金、各種手数料（販売手数料、落札手数料、振込手数料など）、Yahoo! プレミアム会員費、パソコンやスマホの購入代金、通信費などネット関連費用、家賃や光熱費の一部などです。プライベートと事業で共用している場合は、按分計算※が必要になります。

メルカリやヤフオク！の所得計算

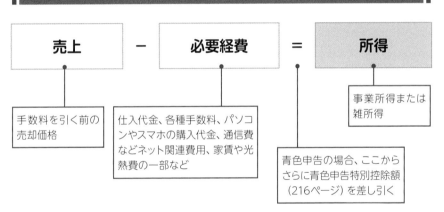

| 売上 | − | 必要経費 | = | 所得 |

手数料を引く前の売却価格

仕入代金、各種手数料、パソコンやスマホの購入代金、通信費などネット関連費用、家賃や光熱費の一部など

事業所得または雑所得

青色申告の場合、ここからさらに青色申告特別控除額（216ページ）を差し引く

Check!

Uber Eats のドライバーやユーチューバーの必要経費

メルカリやヤフオク！と同様に、「Uber Eats（ウーバーイーツ）」のドライバーやユーチューバーなどの仕事も一定の所得があれば確定申告をしなければなりません。ここでも気になるのは、売上から差し引くことができる必要経費の範囲。通信費や交通費などの一般的な必要経費のほかに、Uber Eats では、配達に使う自転車やバイクの購入費や維持費、ガソリン代など。ユーチューバーは、撮影機材、編集用ソフトの購入費、撮影で使用する小物代などが考えられます。

税法上有利な特典が
受けられる青色申告

◆ 所得や税額を正確に計算して納税の申告をする制度

　青色申告とは、複式簿記（178ページ）などの一定のルールに基づいて事業の動きを記録して決算書を作成し、正しい所得や税額を計算して納税の申告をする制度のことです。もう一つの方法の「白色申告」と比べると、青色申告は、帳簿への記入は少し複雑ですが、税法上いくつかの特典を受けることができます。

　また、取引の内容やお金の動きを正確に記録することは、経理上のミスを防ぎ、業績を把握しやすいというメリットもあるので、これから個人事業を始める人は、開業の際に〈所得税の青色申告承認申請手続〉（122ページ）を行い、青色申告を選択することをおすすめします。本書では以降、青色申告を選択することを前提に、その手続きのしかたを説明します。

◆ 青色申告特別控除の「控除」って何？

　青色申告をすることで受けられる税法上最も大きな特典は、55万円か65万円または10万円の青色申告特別控除です。「発生主義」（221ページ）という、お金の流れに関係なく、取引が発生したときに計上する会計処理での記帳など、一定の要件を満たして帳簿に記帳すれば55万円、それをe-Tax（232ページ）による申告（電子申告）や電子帳簿保存※を行うと65万円の控除が受けられ、簡易式簿記という簡単な方法で申告した場合でも10万円の控除が受けられます。

　個人事業主が納める税金は、売上などの総収入から仕入を含めた必要経費を引いた"事業のもうけ"をベースに計算されます。「控除」とは、その"事業のもうけ"から差し引けるもので、控除額が多ければ多いほど、納める税金は少なくなります。

　また、〈青色事業専従者給与に関する届出手続〉（124ページ）を行えば、家族に支払った給与の全額を必要経費にできるので、さらに節税できます。

Word **電子帳簿保存**：帳簿（仕訳帳および総勘定元帳）を電子データのままで保存できる制度。会計ソフトやスキャナーなどのツールを揃えて基準を満たせば電子帳簿保存を開始できます。

事業所得の計算

事業所得 = 総収入（売上など） − 必要経費（仕入を含む） − 青色申告特別控除額（10万円、55万円または65万円）

青色申告の主なメリット

青色申告特別控除	10万円、55万円または65万円の青色申告特別控除が受けられる
青色事業専従者給与額を必要経費に算入	家族に支払った給与をすべて必要経費にできる（124ページ）
純損失の繰越控除／繰戻還付	事業所得に損失が生じて赤字になった場合、翌年以降3年間にわたって控除を受けたり、1年前の分に限り、すでに収めた所得税を返してもらうことができる
減価償却（148ページ）の特例	30万円未満で新品の機械などを購入した場合、年間300万円までは取得した年にすべてを必要経費に計上することができる
貸倒引当金の計上	回収できなくなりそうな売掛金（まだ受け取っていない売上金）や貸付金（貸したお金）の一部を必要経費に計上できる
低価法による棚卸資産（144ページ）の評価	在庫として残った商品などを、事業者にとって有利な低い金額で評価できる

※白色申告の場合、事業専従者一人につき、次のいずれか少ないほうの金額を必要経費にできる。
①86万円（その事業専従者が配偶者以外の親族である場合は50万円）
②専従者控除前の所得金額を、事業専従者の数に1を足した数で割った金額

決算整理の意味と目的を理解する

◆ 決算整理を行って1年の業績を正確に把握する

　決算日（12月31日）を迎えたら、「決算整理」という処理を行って帳簿を締め※、計算をし直さなければなりません。月ごとの集計だけでは、正確ではない、大まかな数字が残っているため、1年間の財務状態や経営成績を正確に把握することができないからです。決算整理とはつまり、決算書を作成するための修正作業です。

　決算整理は手間のかかる作業ではありますが、会計ソフトを利用していれば、この決算整理の結果を入力するだけで、損益計算書や貸借対照表といった決算書を作成することができます。

◆ 決算整理は主に4つの項目について行われる

　業種によって中身は多少異なりますが、決算整理は主に右ページに示した4つの項目について行われます。

　①棚卸しをして売上原価を確定すること。②当期分の収益と費用を正しく計算し直すこと。③1年分の減価償却費を計算して決算書に組み込み、費用として計上すること。④回収できなくなりそうな金額を見積もって決算書に組み込み、必要経費として計上することです。

　手間のかかる複雑な計算もあり、最初はなかなか理解できないかもしれませんが、基本的な考え方を頭に入れておきましょう。

　また、自宅を店舗にしている小売店や飲食店、自宅兼事務所で働いて

Word 帳簿を締める：年末や月末に、売上、仕入、必要経費などを確定して、合計金額を出すこと。正確な数字を出すことによって税金を正しく申告することができます。

いるフリーランスなどの場合、家賃や公共料金などを按分計算（224ペー
ジ）して事業用とプライベート用に分け、そのうちの事業用を必要経費に
する計算も行わなければなりません。

決算整理の主な項目

帳簿を締める

棚卸しをして、 売上原価を確定する ⇒ 220ページ	当期分の収益と費用を 正しく計算する ⇒ 221ページ
固定資産の減価償却費を 費用として計上する ⇒ 222ページ	回収できなくなりそうな お金を費用として計上する ⇒ 221ページ

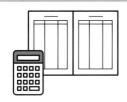

Check!

経理業務を専門家に任せて、本業に専念する

　会計ソフトを利用すれば、簿記や経理の知識がある程度あれば、比較的簡単
に複式簿記の帳簿がつけられます。しかし、日々の経理業務や決算の業務を信
頼のできる税理士に一任するという方法もあります。当然ながら費用はかかり
ますが、自分が経理にたずさわる手間や時間などを考慮し、お金を払ってもメ
リットがあると感じられたら、任せてしまうのも手かもしれません。決算書や
申告書の作成だけでも専門家に任せれば、税金の計算も正確になるので、あと
で税務署から指摘を受けることや、延滞税などのペナルティを支払う不安もな
くなります。

売上原価の確定など、決算整理でやるべきこと

◆ 必要経費になるのは、売れた商品の仕入原価だけ

実地棚卸し（144ページ）を行って12月31日時点の正確な在庫（来期に売る商品や原材料）の数量を確認し、売上原価を計算します。

売上原価とは、「売上高（商品を提供することによって得たお金）に対する商品や原材料の仕入原価」のことです。仕入や必要経費として認められるのは、売れた商品の仕入原価だけなので、棚卸しで在庫を数え、売れ残っている商品の仕入原価を差し引かなければならないのです。

売上原価は、「期首※商品棚卸高」と「当期仕入高」の合計に、「期末※商品棚卸高」を差し引いて求めることができます。期首商品棚卸高とは1月1日に在庫として残っていた商品、つまり当期よりも前に仕入れた商品のこと。当期仕入高とは当期（1月1日〜12月31日）に仕入れた商品、期末商品棚卸高とは12月31日に在庫として残っていた商品（棚卸しによって確定した商品）のことです。たとえば、1月1日時点の在庫が20万円、当期の仕入が90万円で、12月31日に30万円の在庫が残っていた場合、売上原価は80万円となります。

それぞれの商品の単価を算出する方法については、144ページを参照してください。

▌ 売上原価を求める計算式

| 期首商品棚卸高 20万円 | ＋ | 当期仕入高 90万円 | － | 期末商品棚卸高 30万円 | ＝ | 売上原価 80万円 |

1月1日時点での在庫

12月31日時点での在庫

Word **期首と期末**：会計期間の始まりを「期首」、終わりを「期末（決算日）」といいます。個人事業の会計期間は1月から12月なので、1月1日が期首、12月31日が期末になります。

◆ 当期分の収益と費用を正しく計算する

　決算では、当期の決算書に組み込む収益（本業での収入である売上や、本業以外の収入のこと）や費用（必要経費）を、正しく計算する必要があります。

　実際は翌年の収益や費用であるべきものが当期に計上されたり、また反対に、実際は当期の収益や費用であるべきものが計上されていないケースがあるからです。

　たとえば、当期の必要経費である水道光熱費が、事業年度をまたいで翌年に銀行口座の自動引き落としで支払われた場合などです。しかし、この水道光熱費は当期の費用として計上しなければなりません。

　同様に掛取引（172ページ）では、当期に計上されるべき収益（売掛金）を翌年に受け取ることがあります。この場合も翌年に受け取る金額を当期の収益として計上しなければなりません。税法上、売掛金は回収が翌年であっても、その年の売上として計上し、税金を納めなければならない決まりがあるからです。

　決算整理では、このような**事業年度をまたぐ取引の整理を行い、当期の収益と費用を正しく計上する**必要があるのです。

　ちなみに、売上や仕入を計上するタイミングは一つではありませんが、「発生主義」という税法上の原則にしたがえば、売上は「商品を販売したとき」や「サービスの提供が完了したとき」、仕入は「納品されたとき」となります。

売掛金を回収できなくなりそうなとき

　掛取引をしていると、商品を相手に納めたにもかかわらず、代金を回収できなくなることがあります。取引先が倒産するなどして、売掛金（まだ受け取っていない売上金）や貸付金（貸したお金）が回収できなくなることを「貸倒れ」といいます。

　貸倒れの可能性があるときは、回収できなくなりそうな金額を見積もって、「貸倒引当金」という勘定科目で費用に計上することができます。

　回収できなくなりそうなお金を費用として計上できるのは、青色申告者の特典です。貸倒れになる前に費用として処理し、正確な数字に近づけましょう。

固定資産の減価償却費を費用として計上する

◆ 法定耐用年数に応じて価値を減らしていく

「減価償却」とは使うほどに価値が下がっていく固定資産について、「法定耐用年数」（法律で定められた使用可能期間）に応じて、帳簿上の価値を少しずつ減らしていく手続きのことです（148・184ページ参照）。

決算日を迎えたら、**1年分の減価償却費を計算して決算書に組み込み、費用として計上**しましょう。1年間に必要経費として計上できる割合は、「主な法定耐用年数の償却率（定額法）」という下の表をもとにすれば簡単に計算できます。

たとえば、1月に事業用として軽自動車を80万円で購入した場合、その法定耐用年数は4年と定められているため、定額法（148ページ）による償却率は0.250となり、1年目に必要経費として計上できるのは、20万円となります（7月に購入した場合は6か月分の10万円です）。

減価償却費を算出したら固定資産台帳に記入します（185ページ）。

主な法定耐用年数の償却率（定額法）

耐用年数（年）	償却率（定額法）	耐用年数（年）	償却率（定額法）
2	0.500	10	0.100
3	0.334	11	0.091
4	0.250	12	0.084
5	0.200	13	0.077
6	0.167	14	0.072
7	0.143	15	0.067
8	0.125	16	0.063
9	0.112		

Point 少額減価償却資産では、償却資産（土地や建物以外の固定資産）の扱いになり固定資産税の対象になります。一括償却資産では固定資産税の対象から外れます。

代表的な固定資産の法定耐用年数

一般用の普通自動車	6年	冷房用・暖房用機器、冷蔵庫、洗濯機など	6年
一般用の軽自動車	4年	食事・厨房用品（陶磁器製・ガラス製）	2年
一般用のオートバイ	3年	食事・厨房用品（その他）	5年
事務机、事務イス、キャビネット（金属製）	15年	パソコン	4年
応接セット（接客業用）	5年	コピー機、タイムレコーダー、ファクシミリなど	5年
陳列棚、陳列ケース（冷凍機付・冷蔵機付）	6年	カメラ、映画撮影機、映写機、望遠鏡	5年
陳列棚、陳列ケース（その他）	8年	引伸機、焼付機、乾燥機、顕微鏡	8年
ラジオやテレビなどの音響機器	5年	看板、ネオンサイン	3年

取得価格（80万円）× 定額法の償却率（0.25）× 使った月数 12 （12÷12）＝ 1年目の減価償却費（20万円）

Check! 一括償却資産と少額減価償却資産

　10万円以上の固定資産は、法定耐用年数に応じて少しずつ費用に計上していくのが原則ですが、例外的にもっと短い期間で償却できる方法があります。それが「一括償却資産」と「少額減価償却資産」という処理方法です。一括償却資産では10万円以上20万円未満で購入した固定資産を3年間で3分の1ずつ費用にしていくことができ、少額減価償却資産では30万円未満で購入した機械などについてその全額（1事業年度あたり300万円が限度）を取得した年に必要経費として計上することができます。

按分計算で生活費と
必要経費を分ける

◆ 合理的な基準で生活費と必要経費を分ける

　必要経費が認められるのは、事業に関係したものに限られますが、事務所や店舗が自宅をかねている場合などは、事業でもうけを得るために使ったものか、個人の生活費として使ったものか、その区別をつけづらいものがあります。

　そのときに合理的な計算の基準になるのが、使われたお金を私用と業務用に分ける「按分計算」という考え方です。たとえばフリーランスの個人事業主が自宅を事務所にして働いている場合、地代家賃や水道光熱費、通信費などの一部を業務用、つまり必要経費に計上することができます。

　按分計算で必要なのが、事業のための費用と、個人の生活費を分ける合理的な基準を定めること。それは使用した日数や時間などの利用度合いでもよいし、使用面積の割合でもかまいません。それぞれの実情に合った合理的な説明がつく比率であれば、問題ないとされています。

◆ 地代家賃は使用面積を基準にするのが一般的

　たとえば、60平米の広さをもつ住居スペースで、その20平米程度を仕事部屋として使っている場合、その比率を按分計算の基準として、地代家賃の3分の1を業務用と考えて必要経費にすることができます。つまり、毎月9万円の家賃を払っている場合、そのうちの3万円を必要経費に計上することができるのです。

　また、水道光熱費の電気代については、使用時間を按分計算の基準にするのが一般的です。たとえば、月の電気料金が1万円の場合は、月の業務時間を180時間として計算すると、1か月（24時間×30日＝720時間）のうちの4分の1が按分計算の合理的な基準となり、2,500円を必要経費として計上できることになります（電気代については、使用する電気機器の消費電力や、コンセントの使用個数なども按分計算の基準になり得ま

Point 自宅兼事務所の家賃のほか、公私で使う月極駐車場の賃料、管理費・礼金・更新料などの地代家賃なども按分計算をして必要経費にすることができます。

す）。

　そのほかにも、通信費や車両費などが按分計算の対象になり、通信費に含まれる携帯電話やインターネットの使用料は、使用日数や使用時間、車両費に含まれるガソリン代などは、車の使用日数や利用距離などを基準にして按分計算されることが多いようです。

例 月の電気料金が1万円の場合

★合理的説明

月の業務時間を180時間（9時間×20日）として計算すると、1か月（24時間×30日＝720時間）のうちの4分の1が按分計算の合理的な基準となり、2,500円分を必要経費として計上できる

$$\frac{業務時間（180時間）}{1か月（720時間）} = \frac{1}{4}$$

$$10,000円 \times \frac{1}{4} = \boxed{2,500円}$$

必要経費

例 月の家賃が9万円の場合

★合理的説明

60平米の住居スペースのうち、20平米を仕事部屋として使用。その3分の1が按分計算の合理的な基準となり、3万円分を必要経費として計上できる

$$\frac{20平米を仕事部屋として使用}{60平米の居住スペース} = \frac{1}{3}$$

$$90,000円 \times \frac{1}{3} = \boxed{30,000円}$$

必要経費

Check! 仕事と関係ない生活費は必要経費にはならない

　在宅での仕事だからといって、すべてが按分計算できるわけではありません。必要経費が認められるのは、あくまでも"もうけ"を出すために使われたものだけです。たとえば、仕事中に自分一人が飲むコーヒー代、仕事中に着ている部屋着などは、必要経費として認められず、按分計算することもできないので注意しましょう。

損益計算書のもととなる内訳表を記入する

◆ 決算整理が済んだら決算書を作成する

　決算整理を済ませたら、いよいよ決算書の作成に取りかかります。青色申告を行う場合、その結果は〈青色申告決算書〉に記入します。

　確定申告書とともに、税務署へ提出する〈青色申告決算書〉は4枚で構成され、1枚目は〈損益計算書〉、2枚目と3枚目は損益計算書を作成するもととなる内訳表、4枚目は〈貸借対照表〉になっています。

　損益計算書とは、売上、仕入、必要経費の合計から利益を算出する書類です。〈青色申告決算書〉の損益計算書を作成することによって、1年間の営業成績、つまり1年間にどれだけの“もうけ”があったかが具体的な数字で表されます。

　1枚目の〈損益計算書〉を作成する前に、2・3枚目の内訳表の記入を済ませておきましょう。

　ここでの主な記入事項は、〈月別売上（収入）金額及び仕入金額〉〈給料賃金の内訳〉〈専従者給与の内訳〉〈青色申告特別控除額の計算〉〈減価償却費の計算〉〈地代家賃の内訳〉などです。

◆ 必要な書類は1月末頃に送られてくる

　個人事業を開業する際、所轄の税務署に「個人事業の開業・廃業等届出書」（116ページ）を提出していれば、翌年の1月末頃、確定申告に必要な〈確定申告書〉が郵送で届きます（電子申告の場合は納付書のみ送られてきます）。

　また、「所得税の青色申告承認申請書」（122ページ）を提出した人には、〈確定申告書〉といっしょに〈青色申告決算書〉も送られてきます。

　なお、これらの種類は国税庁のホームページからダウンロードできるほか、税務署にも用意されています。

Point 最新の法令等に基づいた〈青色申告決算書〉の具体的な記入方法については、税務署が作成した説明書やホームページをご覧ください。

〈青色申告決算書〉の2枚目

帳簿を見て、売上と仕入の金額を月ごとに記入し、合計額を計算する

従業員に支払った給与や、給与から差し引かれた源泉徴収税額を記入する。〈延べ従事月数〉とは、従事月数（働いた月数）の合計

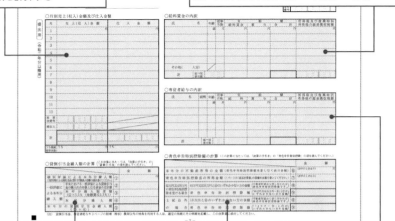

貸倒引当金（221ページ）がある場合は、〈貸倒引当金繰入額の計算〉も記入する

〈青色申告特別控除前の所得金額〉と、55万円または65万円、10万円の〈青色申告特別控除額〉を記入する（216ページ）

〈青色事業専従者給与に関する届出書〉（124ページ）を提出している場合は、〈専従者給与の内訳〉の欄も記入する

〈青色申告決算書〉の3枚目

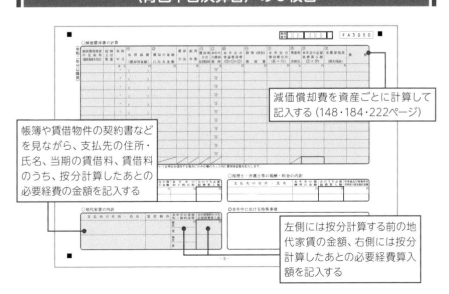

減価償却費を資産ごとに計算して記入する（148・184・222ページ）

帳簿や賃借物件の契約書などを見ながら、支払先の住所・氏名、当期の賃借料、賃借料のうち、按分計算したあとの必要経費の金額を記入する

左側には按分計算する前の地代家賃の金額、右側には按分計算したあとの必要経費算入額を記入する

損益計算書で
事業成績を明らかにする

◆ 損益計算書で、1年間の "もうけ" がわかる

　〈青色申告決算書〉の2枚目と3枚目にある内訳表の記入を済ませたら、それをもとにして1枚目にある〈損益計算書〉を作成しましょう。ここでの大きな目的は、売上から、売上原価、必要経費、青色申告特別控除額を差し引いて、事業所得という事業の "もうけ" を明らかにすることです。

　確定申告では、この事業所得金額から所得控除（234ページ）を差し引いた金額に対して税金がかかるので、この損益計算書の作成は個人事業主にとって最も重要だといえます。

　〈所得金額〉は、〈売上金額〉から、〈売上原価〉と〈必要経費〉、さらに〈青色申告特別控除額〉などを差し引いて求めます。

　220ページで説明したように、売上原価とは、「売上高（商品を提供することによって得たお金）に対する商品や原材料の仕入原価」のことで、原材料を加工して提供する飲食店などでは「原材料費」のことをいいます。

所得金額を求める計算式

売上金額 － 売上原価（220ページ） － 必要経費 － 青色申告特別控除額 ＝ 所得金額

10万円、55万円、65万円のいずれかになる（216ページ）

Point 損益計算書には各勘定科目の合計額が書かれています。広告費が多かった、接待交際費が多かったなど、事業の分析にも活用します。

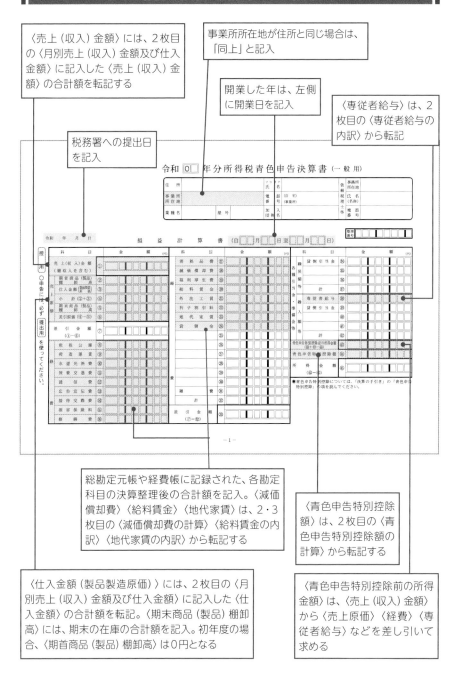

〈青色申告決算書〉の１枚目

〈売上（収入）金額〉には、２枚目の〈月別売上（収入）金額及び仕入金額〉に記入した〈売上（収入）金額〉の合計額を転記する

事業所所在地が住所と同じ場合は、「同上」と記入

開業した年は、左側に開業日を記入

〈専従者給与〉は、２枚目の〈専従者給与の内訳〉から転記

税務署への提出日を記入

令和 0□ 年分所得税青色申告決算書（一般用）

損益計算書（自□□月□□日至□□月□□日）

総勘定元帳や経費帳に記録された、各勘定科目の決算整理後の合計額を記入。〈減価償却費〉〈給料賃金〉〈地代家賃〉は、２・３枚目の〈減価償却費の計算〉〈給料賃金の内訳〉〈地代家賃の内訳〉から転記する

〈仕入金額（製品製造原価）〉には、２枚目の〈月別売上（収入）金額及び仕入金額〉に記入した〈仕入金額〉の合計額を転記。〈期末商品（製品）棚卸高〉には、期末の在庫の合計額を記入。初年度の場合、〈期首商品（製品）棚卸高〉は０円となる

〈青色申告特別控除額〉は、２枚目の〈青色申告特別控除額の計算〉から転記する

〈青色申告特別控除前の所得金額〉は、〈売上（収入）金額〉から〈売上原価〉〈経費〉〈専従者給与〉などを差し引いて求める

貸借対照表で
資産と負債を確認する

◆ 年末時点での資産と負債を明らかにする

〈青色申告決算書〉の１枚目の〈損益計算書〉を作成したら、次に４枚目にある〈貸借対照表〉を記入します。**貸借対照表の目的は、年末時点での資産（財産）と負債（借金など）を明らかにすること**。55万円または65万円の青色申告特別控除を受ける人は、必ず記入し、提出しなければなりません。

複式簿記では、〈貸借対照表〉の左側を「借方」、右側を「貸方」といいます。借方には〈資産の部〉、貸方には〈負債・資本の部〉の勘定科目が並び、それぞれ期首（年の途中で開業した場合は開業日）と、期末（12月31日）の残高が記入されます。

総勘定元帳に記録されている勘定科目を、複式簿記のルールにしたがって〈貸借対照表〉に転記したら、「期首の資産の総額」から「期首の負債の総額」を差し引いた金額を、「元入金」として貸方（期首と期末の両方）に記入します。元入金とは、事業主が個人事業を始めるために出資したお金です。

さらに、１枚目の〈損益計算書〉にある〈青色申告特別控除前の所得金額〉を貸方の期末の欄に記入することで、左側の合計欄と右側の合計欄の金額が一致し、〈貸借対照表〉が完成します。

貸借対照表の記入は少し複雑ですが、会計ソフトを利用すれば簡単に作成できます。

元入金を求める計算式

元入金	=	期首の資産の総額	−	期首の負債の総額

Point 貸借対照表には「資産」と「負債」がお金になりやすい順番で並んでいます。現金や預金など、上にある「資産」の額が多いほど、事業は安定しているといえます。

〈青色申告決算書〉の4枚目

期首の〈棚卸資産〉には、1枚目の〈損益計算書〉にある〈期首商品（製品）棚卸高〉の金額を記入する。開業した年はゼロを記入する

期末の〈棚卸資産〉には、1枚目の〈損益計算書〉にある〈期末商品（製品）棚卸高〉の金額を記入する

貸 借 対 照 表 （資産負債調）								製 造 原 価 の 計 算

「事業主借」とは、事業資金として事業主のプライベートのお金から受け入れたお金のこと

「事業主貸」とは、事業主が生活費などとして使った事業からのお金のこと

「元入金」は、「期首の資産の総額」から、「期首の負債の総額」を差し引いた金額。期首の欄と期末の欄に同じ金額を記入する

1枚目の〈損益計算書〉にある〈青色申告特別控除前の所得金額〉をそのまま記入

事業所得が確定したら、納める税金を計算する

◆ 確定申告書を作成して、納める税金の額を決める

　〈青色申告決算書〉が完成したら、いよいよ〈確定申告書〉への記入を始めます。確定申告の申請書には、〈申告書B〉と〈申告書A〉がありますが、個人事業主は〈申告書B〉を使用します。

　〈確定申告書〉を作成する目的は、納める税金の額を決めることです。個人事業（事業所得）の場合、税額は、〈青色申告計算書〉の〈損益計算書〉で明らかになった所得金額から、所得控除などを差し引いて求めます（234ページ）。

　申告書の記入は、〈確定申告書〉に同封されている〈所得税及び復興特別所得税の確定申告の手引き〉の説明を見ながら行います。

　確定申告は、国税庁のホームページにある「確定申告書等作成コーナー」を利用して行うこともできます。画面の案内にしたがって金額などを入力するだけで、税額などが自動計算され、所得税や消費税の確定申告書や青色申告決算書などが完成します。自宅のパソコンで作成した確定申告書や青色申告決算書などのデータは、「e-Tax（電子申告）」を利用して送信することもできます。この場合、65万円の青色申告特別控除が受けられます。

　〈確定申告書〉の大まかな記入の流れは右ページのとおりです。記入についてわからないことがあったら、最寄りの税務署にたずねましょう。

◆ 3月15日までに申告した税金を納める

　確定申告によって税額が決定したら、3月15日までに所轄税務署（または所轄税務署管内の金融機関）に現金などで納めます。税金の納付期限は、申告期限と同じです。**申告書を税務署に提出したら、その場で納付を済ませておきましょう。**

　また、「振替納税」を利用すれば、預金口座からの口座引落しで税金を納付することが可能です。

 「振替納税」を希望する場合は「預貯金口座振替依頼書兼納付書送付依頼書」（振替依頼書）を作成し、申告期限までに所轄税務署または振替依頼書に記載した金融機関へ提出します。

◆ 所得ごとに〈所得金額〉を計算する

　確定申告では、10種類ある所得ごとに、それぞれ所得金額を計算しなければなりません（206ページ）。

　個人事業主に関係の深いのは、事業所得、雑所得、給与所得でしょう。

　事業所得は、〈青色申告計算書〉の〈損益計算書〉で明らかになった所得金額です。副業などで稼いだ雑所得も、計算方法は同じで「所得 ＝ 売上 － 必要経費」で算出しますが、「個人事業の開業・廃業等届出書」（116ページ）を提出している人は事業所得となります。

　給与所得は、会社から発行される「給与所得の源泉徴収票」でわかるようになっています。

確定申告書作成の大まかな流れ

① 所得の種類ごとに〈所得金額〉を計算する

② 〈所得から差し引かれる金額〉（＝所得控除）を計算する

③ 〈税金の計算〉をする

④ 〈その他〉を記入する

⑤ 〈還付される税金の受取場所〉を記入する……確定申告書第一表が完成

⑥ 〈住民税・事業税に関する事項〉を記入する……確定申告書第二表が完成

該当する所得控除を記入し、納税額を抑える

◆ 税負担を公平にするための所得控除

「所得控除」とは、所得から差し引くことができる金額のことです。家族を養う、医療費がかかるなどの個々の事情を考慮し、税負担を公平に近づけようとしています。所得控除にはさまざまな種類があり、確定申告書の第一表と第二表には〈所得から差し引かれる金額〉を記入する欄があります。

確定申告で認められている主な所得控除は、右ページのとおりです。このうち多くの個人事業主に関係してくるのは、社会保険料控除や生命保険料控除、配偶者（特別）控除などです。基礎控除はほとんどの人が受けられる控除なので、該当する場合は忘れずに記入しましょう。

確定申告では、申告書のほかに、社会保険料（国民年金保険料）の控除証明書、生命保険料の控除証明書などの提出や提示が義務づけられています。

また、フリーランスが受け取る支払調書は提出の義務がありませんが、給与所得がある人は給与所得の源泉徴収票を提出しなければなりません。

税額の計算では、事業所得や給与所得を足したあと、所得控除額を差し引き、それに税率をかけて「所得税額」を算出します（236ページ）。

◆ 所得税額から税額控除を差し引く

所得税額からさらに控除されるものに「税額控除」があります。配当所得がある場合の「配当控除」、家屋を耐震改修した場合の「住宅耐震改修特別控除」などです。該当する場合は、確定申告書の第一表と第二表にある〈税金の計算〉の記入欄に、それぞれの金額を書き入れましょう。

Word **小規模企業共済**：個人事業主が事業を辞めたあと、生活の安定を図るための資金を準備しておく共済制度。1年間に支払った掛金の全額を控除額にすることができます。

ちなみに、所得控除と税額控除の違いは、**所得控除が「所得」から差し引くのに対し、税額控除は税率をかけたあとの「所得税額」から直接差し引く**ということ。そのため、所得控除は所得の多い人のほうがその恩恵を受けられますが、税額控除の場合は（所得にかかわらず）多くの人にとってより節税効果が高い控除になります。

個人事業主に関係する主な所得控除

雑損控除	災害や盗難などにより住宅や家財に損害を受けたときの控除
医療費控除	一定額以上の医療費の支払いがあったときに認められる控除
社会保険料控除	国民健康保険料や国民年金保険料などの支払いがあるときの控除
小規模企業共済等掛金控除	小規模企業共済※などに加入し、掛金の支払いがあるときの控除
生命保険料控除	生命保険料、介護医療保険料、個人年金保険料の支払いがあるときの控除
地震保険料控除	地震保険料などの支払いがあるときの控除
寄付金控除	国への寄付金、ふるさと納税、特定の政治献金などがあるときの控除
ひとり親控除	納税者がひとり親であるときに認められる控除
寡婦控除	ひとり親控除に該当しない人が、死別や離婚のあと、結婚をしないまま子どもを養育している人などに認められる控除
勤労学生控除	学校に通いながら働いている人に認められる控除
障害者控除	本人や配偶者、扶養家族が障害者であるときに認められる控除
配偶者（特別）控除	配偶者がいるときに認められる控除（配偶者の所得金額によって控除額が変わる）
扶養控除	扶養する親族がいるときに認められる控除
基礎控除	ほとんどの人に適用される 48 万円の控除

確定申告によって納める税金、その計算の流れを知っておく

◆ 納める税金は、所得税と復興特別所得税

202ページで説明したように、**確定申告によって納める税金は、所得税と復興特別所得税**です。くわしい計算方法は、確定申告書に同封されている〈所得税及び復興特別所得税の確定申告の手引き〉に書かれていますが、ここでは税額計算の大まかな流れを知っておきましょう。

★所得金額を求める

〈収入金額〉から〈収入から差し引かれる金額〉を引いて〈所得金額〉を求めます。事業所得の〈所得金額〉は、1年間の収入から必要経費などを差し引いたもので、〈青色申告計算書〉の〈損益計算書〉によって明らかになります。給与所得の〈所得金額〉は、会社から発行される「給与所得の源泉徴収票」（195ページ）でわかるようになっています。

事業所得の金額や給与所得の金額を足して〈所得金額〉を算出します。

| 収入金額 | − | 収入から差し引かれる金額（必要経費など） | = | 事業所得の所得金額 |

| 事業所得の所得金額 | + | その他の所得金額 | = | 所得金額 |

★課税される所得金額を求める

〈所得金額〉を求めたら、次にそこから〈所得から差し引かれる金額〉を差し引いて、〈課税される所得金額〉を計算します。

〈所得から差し引かれる金額〉とは、医療費控除や社会保険料控除といった所得控除（235ページ）のことです。所得控除などを差し引いて税額を計算するのは、〈確定申告書〉上での作業になります。

| 所得金額 | − | 所得から差し引かれる金額 | = | 課税される所得金額 |

Word **所得税及び復興特別所得税の額から差し引かれる金額**：納付した外国所得税がある場合の「外国税額控除」と、給与や報酬の支払いを受ける際に源泉徴収された所得税のことです。

★所得税額を求める

〈課税される所得金額〉に〈所得税の税率〉をかけて、〈所得税額〉を計算します。

〈所得税の税率〉は、〈課税される所得金額〉によって5％から45％の7段階に区分されています（191ページの「所得税の速算表」を参照）。所得が多い人ほどたくさんの税金がかかるしくみになっています。

課税される所得金額	×	所得税の税率	=	所得税額

★基準所得税額を求める

〈所得税額〉から〈所得税額から差し引かれる金額〉を差し引いて、〈基準所得税額〉を求めます。

〈所得税額から差し引かれる金額〉とは、配当控除や住宅耐震改修特別控除といった税額控除（234ページ）のことです。

所得税額	−	所得税額から差し引かれる金額	=	基準所得税額

★復興特別所得税額を求める

〈基準所得税額〉に2.1％をかけて〈復興特別所得税額〉を計算します。

基準所得税額	×	2.1%	=	復興特別所得税額

★申告納税額を求める

〈基準所得税額〉と〈復興特別所得税額〉の合計額から、〈所得税及び復興特別所得税の額から差し引かれる金額※〉を差し引いて、納める税金である〈申告納税額〉を求めます。申告納税額と予定納税額の差額がプラスであれば不足分を納税。マイナスであれば納めすぎた税金が還付されます。なお、予定納税とは1年分の予定される納税額を事前に分割納付させる制度のことで、予定納税額は前年分の確定申告の納税額（申告納税額）の3分の2です。

基準所得税額	+	復興特別所得税額	−	所得税及び復興特別所得税の額から差し引かれる金額	=	申告納税額

確定申告書　第一表

納税地の所轄税務署名を記入。日付は申告書の提出日

屋号がある場合に記入

空欄に「確定」と記入

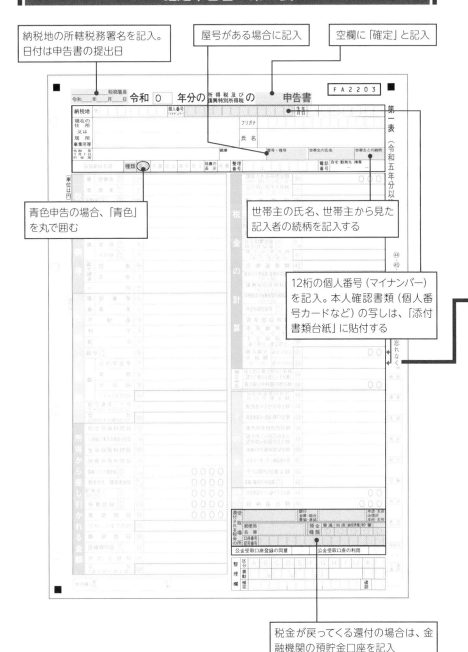

青色申告の場合、「青色」を丸で囲む

世帯主の氏名、世帯主から見た記入者の続柄を記入する

12桁の個人番号（マイナンバー）を記入。本人確認書類（個人番号カードなど）の写しは、「添付書類台紙」に貼付する

税金が戻ってくる還付の場合は、金融機関の預貯金口座を記入

〈営業等〉の欄に、〈青色申告計算書〉の〈損益計算書〉に記入した〈売上（収入）金額〉を転記する

税額を計算し記入する

〈営業等〉の欄に、〈青色申告計算書〉の〈損益計算書〉に記入した〈所得金額〉を転記

第二表の〈所得の内訳〉の源泉徴収税額の合計額を記入する

〈給与〉の欄に、「給与所得の源泉徴収票」にある「支払金額」を転記（195ページ）

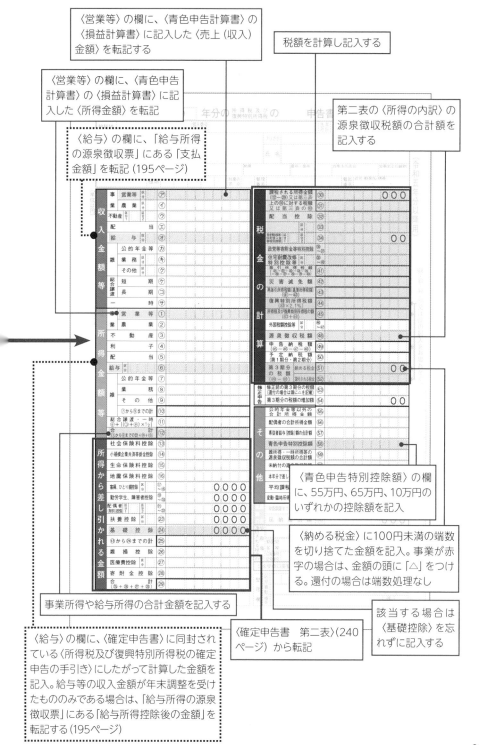

〈青色申告特別控除額〉の欄に、55万円、65万円、10万円のいずれかの控除額を記入

〈納める税金〉に100円未満の端数を切り捨てた金額を記入。事業が赤字の場合は、金額の頭に「△」をつける。還付の場合は端数処理なし

事業所得や給与所得の合計金額を記入する

〈確定申告書　第二表〉（240ページ）から転記

該当する場合は〈基礎控除〉を忘れずに記入する

〈給与〉の欄に、〈確定申告書〉に同封されている〈所得税及び復興特別所得税の確定申告の手引き〉にしたがって計算した金額を記入。給与等の収入金額が年末調整を受けたもののみである場合は、「給与所得の源泉徴収票」にある「給与所得控除後の金額」を転記する（195ページ）

税務署から申告書が送付された場合は、住所・屋号・氏名が印字されている

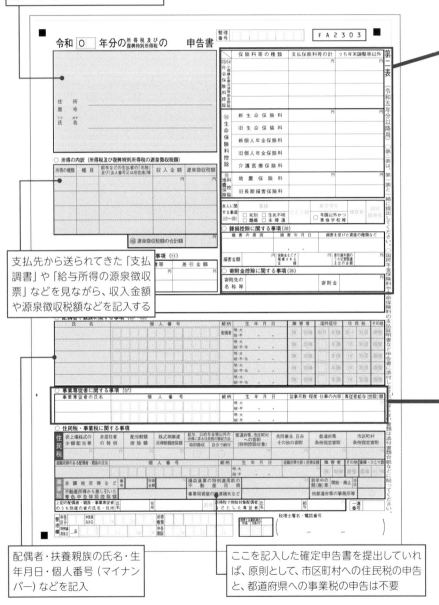

支払先から送られてきた「支払調書」や「給与所得の源泉徴収票」などを見ながら、収入金額や源泉徴収税額などを記入する

配偶者・扶養親族の氏名・生年月日・個人番号（マイナンバー）などを記入

ここを記入した確定申告書を提出していれば、原則として、市区町村への住民税の申告と、都道府県への事業税の申告は不要

	保険料等の種類	支払保険料等の計	うち年末調整等以外
⑬⑭ 社会保険料控除 小規模企業共済等掛金控除		円	円
⑮ 生命保険料控除	新生命保険料	円	円
	旧生命保険料		
	新個人年金保険料		
	旧個人年金保険料		
	介護医療保険料		
⑯ 地震保険料控除	地震保険料	円	円
	旧長期損害保険料		

第二表

〈令和五年分以降用〉○第二表は、第一表と一緒に提出してください。○国民年金保険料や生

国民健康保険や国民年金などの
支払保険料を記入

それぞれの控除額は、〈確定申告
書〉に同封されている〈所得税及
び復興特別所得税の確定申告の
手引き〉にしたがって決定する

本人に関する事項 (⑰〜⑳)	寡婦		ひとり親	勤労学生		障害者	特別障害者
	□ 死別　□ 生死不明			□ 年調以外かつ			
	□ 離婚　□ 未帰還			専修学校等			

○ 雑損控除に関する事項 (㉖)

損害の原因	損害年月日	損害を受けた資産の種類など
	・　・	

損害金額	円	保険金などで補填される金額	円	差引損失額のうち災害関連支出の金額	円

○ 寄附金控除に関する事項 (㉘)

寄附先の名称等		寄附金	円

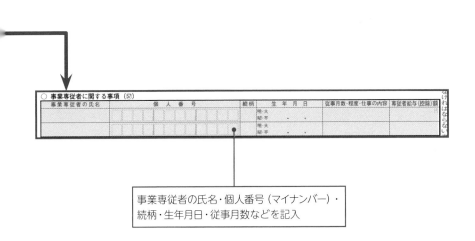

○ 事業専従者に関する事項 (㊗)

事業専従者の氏名	個人番号	続柄	生年月日	従事月数・程度・仕事の内容	専従者給与 (控除) 額
			明・大 昭・平　・　・		
			明・大 昭・平　・　・		

けれ　ばな　らない

事業専従者の氏名・個人番号 (マイナンバー)・
続柄・生年月日・従事月数などを記入

241

消費税の納税額の計算方法を知る

◆ インボイス制度に登録したら納税義務がある

　個人事業主が納める消費税は、「課税売上高」と「課税仕入高」をもとにしています。課税売上とは、消費税の課税対象となる、商品やサービスの提供などによる売上のことです。課税仕入は、仕入、固定資産の購入費、広告宣伝費など、事業のためにものを購入したり、サービスの提供を受けたときの支払いのことです。

　事業を始めたばかりの個人事業主は、原則として最初の2年は消費税が免除されますが、インボイス制度（140ページ）の適格請求書発行事業者になった場合は、消費税を納める必要があります。

　また、個人事業主が消費税を納めない免税事業者であっても、課税売上高が1,000万円を超えたら、翌々年から消費税を税務署に納めなければなりません。同様に、前年の1月1日から6月30日までに売上が1,000万円を超えた場合なども、消費税を納める必要があります。

　消費税を納めることになったら、住所地等の所轄税務署に「消費税課税事業者届出書（準備期間用）」を速やかに提出します。消費税の確定申告と納税の期限は、翌年の3月31日です。

◆ 税率ごとに区分して税額計算を行う

　課税事業者が納める消費税の納付税額は、「課税売上にかかる消費税額－課税仕入にかかる消費税額」で計算するのが基本です。売上と仕入をそれぞれの税率（軽減税率8％と標準税率10％）ごとに区分して消費税額を計算し、消費税を納付しなければなりません。

　ただし、2026年9月30日までに限って、適格請求書発行事業者になって事業を始めた場合、消費税の納付税額を売上税額の2割とすることができます。

　仕入などで払った消費税がいくらであろうと、売上にかかる消費税のう

 Point 消費税を申告するためには、請求書等の保存や、取引を税率ごとに区分して記帳することなどが必要になります。

242

ち一律で2割だけ納めればよいので、たとえば売上が600万円、消費税率が10%だった場合、納税額は60万円の2割の12万円となります。

◆ 売上だけから納税額を計算する、簡易課税制度

基準期間といわれる前々年の課税売上高が5,000万円以下の場合は、「簡易課税制度」を選択することによって、実際の〈課税仕入にかかる消費税額〉を計算せずに、納付税額を決めることができます。

簡易課税制度では、〈課税売上にかかる消費税額〉に、事業種ごとに異なる「みなし仕入率」をかけた金額を、〈課税仕入などにかかる消費税額〉とみなして、納付税額を計算します。

簡易課税制度を適用して申告する場合は、前年の12月31日までに「消費税簡易課税制度選択届出書」を所轄税務署に提出しなければなりません。また、この届出を行った場合、2年間の継続適用が求められます。

みなし仕入率

事　業　区　分	みなし仕入率
第　一　種　事　業（卸　売　業）	90%
第　二　種　事　業（小　売　業）	80%
第　三　種　事　業（製　造　業　等）	70%
第　四　種　事　業（その他の事業）	60%
第　五　種　事　業（サービス業等）	50%
第　六　種　事　業（不　動　産　業）	40%

消費税の納付金額を計算する

| 課税売上にかかる消費税額 | − | 課税仕入にかかる消費税額 | = | 当期の納付金額 |

例 1,200,000円 − 900,000円 = 300,000円

〔簡易課税制度を選択した場合…小売業〕

| 課税売上にかかる消費税額 | −（課税売上にかかる消費税額 × みなし仕入率） | = | 当期の納付金額 |

例 1,200,000円 −（1,200,000円 × 80%）= 240,000円

50音索引

245

監修者：宇田川 敏正（うたがわ・としまさ）

宇田川税理士事務所所長（東京都港区新橋）。
港パートナーズLLP代表パートナー。
税理士、AFP（アフィリエイテッド・ファイナンシャル・プランナー）、登録政治資金監査人。
大学卒業後、大手ゼネコン（総合建設業）に入社し、建築・土木の各工事現場の工事事務全般（経理・労務等）を担当。
平成13年、税理士として独立開業。クライアントは、個人事業者から上場企業まで多岐に渡り、誰にでもわかりやすく、納得のいく税務・会計指導を行っている。具体的には、クライアントに対して、適正な月次決算体制の構築を行い、①経営計画の策定支援（PLAN）、②計画に沿った経営活動（DO）、③月次巡回監査による検証（CHECK）、④決算対策などの対策（ACTION）のPDCAサイクルの定着を支援していくことで、企業の永続的発展を目指して活動を行っている。
平成24年11月、中小企業経営力強化支援法に基づく経営革新等支援機関に認定。監修書に『個人事業の教科書1年生』『経理の教科書1年生』『簿記の教科書1年生』（いずれも新星出版社）がある。

本書の内容に関するお問い合わせは、**書名、発行年月日、該当ページを明記の上**、書面、FAX、お問い合わせフォームにて、当社編集部宛にお送りください。**電話によるお問い合わせはお受けしておりません。**また、本書の範囲を超えるご質問等にもお答えできませんので、あらかじめご了承ください。

　FAX：03-3831-0902
　お問い合わせフォーム：https://www.shin-sei.co.jp/np/contact.html

落丁・乱丁のあった場合は、送料当社負担でお取替えいたします。当社営業部宛にお送りください。
本書の複写、複製を希望される場合は、そのつど事前に、出版者著作権管理機構（電話：03-5244-5088、FAX：03-5244-5089、e-mail：info@jcopy.or.jp）の許諾を得てください。
JCOPY ＜出版者著作権管理機構　委託出版物＞

図解わかる　個人事業の始め方

2024年9月15日　初版発行

監 修 者　　宇 田 川 敏 正
発 行 者　　富 永 靖 弘
印 刷 所　　誠宏印刷株式会社

発行所　東京都台東区　株式
　　　　台東2丁目24　会社　新 星 出 版 社
　　　　〒110-0016 ☎03(3831)0743

© SHINSEI Publishing Co., Ltd.　　　　　　Printed in Japan

ISBN978-4-405-10446-4